O ALEPH

PAULO COELHO

O ALEPH

SEXTANTE

Título original: *O Aleph*
Copyright © 2010 por Paulo Coelho
Todos os direitos reservados. Nenhuma parte deste livro pode ser utilizada ou reproduzida sob quaisquer meios existentes sem autorização por escrito dos editores.
Publicado em acordo com Sant Jordi Asociados Agencia Literaria SLU, Barcelona, Espanha.
Site do autor: www.paulocoelho.com

PREPARO DE ORIGINAIS: Virginie Leite
REVISÃO: Hermínia Totti e Luís Américo Costa
PROJETO GRÁFICO E DIAGRAMAÇÃO: Marcia Raed
CAPA: Raul Fernandes
IMPRESSÃO E ACABAMENTO: LIS GRÁFICA E EDITORA LTDA.

CIP-BRASIL. CATALOGAÇÃO-NA-FONTE
SINDICATO NACIONAL DOS EDITORES DE LIVROS, RJ

C614a

Coelho, Paulo, 1947–
    O Aleph / Paulo Coelho. Rio de Janeiro: Sextante, 2010.
    il.

ISBN 978-85-7542-577-0

1. Coelho, Paulo, 1947-. 2. Crescimento espiritual. 3. Fé. I. Título.

	CDD: 920.9133
10-2549	CDU: 929:133

Todos os direitos reservados, no Brasil, por
GMT Editores Ltda.
Rua Voluntários da Pátria, 45 – Gr. 1.404 – Botafogo
22270-000 – Rio de Janeiro – RJ
Tel.: (21) 2538-4100 – Fax: (21) 2286-9244
E-mail: atendimento@esextante.com.br
www.sextante.com.br

Ó Maria, concebida sem pecado,
rogai por nós que recorremos a Vós. Amém.

Certo homem nobre partiu para uma terra remota,
a fim de tomar para si um reino e voltar depois.

Lucas, 19:12

Para J., que me mantém caminhando,
S.J., que segue me protegendo,
Hilal, pelo perdão na igreja em Novosibirsk.

O diâmetro do Aleph era de dois ou três centímetros, mas o Universo inteiro estava ali, sem diminuição de tamanho. Cada coisa... era infinita, porque eu a via claramente de todos os ângulos do Universo.

Jorge Luis Borges, *O Aleph*

Eu não consigo ver e você conhece tudo. Mesmo assim, minha vida não será inútil Porque sei que nos encontraremos de novo Em alguma divina eternidade.

Oscar Wilde

REI DO MEU REINO

Não!

De novo um ritual? De novo invocar as forças invisíveis para que se manifestem no mundo visível? O que isso tem a ver com o mundo em que vivemos hoje? Os jovens saem da universidade e não conseguem emprego. Os velhos chegam à aposentadoria sem ter dinheiro para nada. Os adultos não têm tempo de sonhar – passam das 8 horas da manhã às 5 da tarde lutando para sustentar a família, pagar o colégio dos filhos, enfrentando aquilo que todos nós conhecemos pelo nome resumido de "dura realidade".

O mundo nunca esteve tão dividido como agora: guerras religiosas, genocídios, falta de respeito pelo planeta, crises econômicas, depressão, pobreza. Todos querendo resultados imediatos para resolver pelo menos alguns dos problemas do mundo ou de sua vida pessoal. Mas as coisas parecem mais negras à medida que avançamos em direção ao futuro.

E eu aqui, querendo seguir adiante em uma tradição espiritual cujas raízes se encontram em um passado remoto, longe de todos os desafios do momento presente?

★ ★ ★

JUNTO COM J., A QUEM CHAMO DE MEU MESTRE, embora comece a ter dúvidas a respeito, caminho em direção ao carvalho sagrado, que está ali há mais de 500 anos, contemplando impassível as agonias humanas; sua única preocupação é entregar as folhas no inverno e recuperá-las de novo na primavera.

Não aguento mais escrever sobre minha relação com J., meu guia na Tradição. Tenho dezenas de diários cheios de anotações de nossas conversas, que nunca releio. Desde que o conheci em Amsterdã, em 1982, aprendi e desaprendi a viver uma centena de vezes. Quando J. me ensina algo novo, acho que talvez ali esteja o passo que falta para chegar ao cume da montanha, a nota que justifica uma sinfonia inteira, a letra que resume o livro. Passo por um período de euforia, que aos poucos vai desaparecendo. Algumas coisas ficam para sempre, mas a maioria dos exercícios, das práticas, dos ensinamentos termina por desaparecer em um buraco negro. Ou, pelo menos, assim parece.

★   ★   ★

O CHÃO ESTÁ MOLHADO, IMAGINO QUE MEUS TÊNIS tão meticulosamente lavados dois dias antes estarão de novo cheios de lama em mais alguns passos – independentemente do cuidado que possa ter. A minha busca por sabedoria, paz de espírito e consciência das realidades visível e invisível já se transformou em rotina e não dá mais resultado. Quando tinha 22 anos, comecei a me dedicar ao aprendizado da magia. Passei por diversos caminhos, andei à beira do abismo durante anos importantes, escorreguei e caí, desisti e voltei. Imaginava que, quando chegasse aos 59 anos, estaria perto do paraíso e da tranquilidade absoluta que penso ver nos sorrisos dos monges budistas.

Pelo contrário, parece que estou mais distante que nunca. Não estou em paz; vez por outra entro em grandes conflitos comigo mesmo, que podem durar meses. E os momentos em que mergulho na percepção de uma realidade mágica duram apenas alguns segundos. O suficiente para saber que este outro mundo existe, e o bastante para me deixar frustrado por não conseguir absorver tudo o que aprendo.

Chegamos.

Quando acabar o ritual, irei conversar seriamente com ele. Nós dois colocamos as mãos no tronco do carvalho sagrado.

★ ★ ★

J. DIZ UMA PRECE SUFI:

"Ó Deus, quando presto atenção nas vozes dos animais, no ruído das árvores, no murmúrio das águas, no gorjeio dos pássaros, no zunido do vento ou no estrondo do trovão, percebo neles um testemunho à Tua unidade; sinto que Tu és o supremo poder, a onisciência, a suprema sabedoria, a suprema justiça.

Ó Deus, reconheço-Te nas provas que estou passando. Permite, ó Deus, que Tua satisfação seja a minha satisfação. Que eu seja a Tua alegria, aquela alegria que um Pai sente por um filho. E que eu me lembre de Ti com tranquilidade e determinação, mesmo quando for difícil dizer que Te amo."

Geralmente neste momento eu sentiria – por uma fração de segundo, mas isso bastava – a Presença Única que move o Sol e a Terra e mantém as estrelas no lugar. Mas hoje não estou querendo conversar com o Universo; basta que o homem ao meu lado me dê as respostas de que estou precisando.

★ ★ ★

ELE RETIRA AS MÃOS DO TRONCO DO CARVALHO, e eu faço a mesma coisa. Sorri para mim, e eu sorrio de volta. Nós nos dirigimos, em silêncio e sem pressa, para minha casa, sentamos na varanda e tomamos um café, ainda sem conversar.

Contemplo a gigantesca árvore no centro do meu jardim, com a fita em torno do seu tronco, colocada ali depois de um sonho. Estou no vilarejo de Saint Martin, nos Pireneus franceses, em uma casa que já me arrependi de ter comprado; ela terminou por me possuir, exigindo minha presença sempre que possível, porque precisa de alguém para cuidar dela, para manter sua energia viva.

– Não consigo mais evoluir – digo, caindo como sempre na armadilha de falar primeiro. – Acho que cheguei ao meu limite.

– Que interessante. Eu sempre tentei descobrir meus limites e até agora não consegui chegar lá. Mas meu universo não colabora muito, continua crescendo e não me ajuda a conhecê-lo por inteiro – provoca J.

Ele está sendo irônico. Mas eu sigo adiante.

– O que você veio fazer aqui hoje? Tentar me convencer de que estou errado, como sempre. Diga o que quiser, mas saiba que palavras não vão mudar nada. Não estou bem.

– Foi exatamente por isso que vim aqui hoje. Pressenti o que estava acontecendo há tempos. Mas sempre existe um momento exato para agir – afirma J., pegando uma pera em cima da mesa e girando-a em suas mãos. – Se tivéssemos conversado antes, você ainda não estaria maduro. Se conversássemos depois, você já teria apodrecido. – Ele dá uma mordida na fruta, saboreando seu gosto. – Perfeito. Momento certo.

– Tenho muitas dúvidas. E as maiores são minhas dúvidas de fé – insisto.

– Ótimo. É a dúvida que empurra o homem adiante.

Como sempre, boas respostas e boas imagens, mas hoje elas não estão funcionando.

– Vou lhe dizer o que você sente – continua J. – Que tudo o que aprendeu não lançou raízes, que é capaz de mergulhar no universo mágico, mas não consegue ficar submerso nele. Que talvez tudo isso não passe de uma grande fantasia que o ser humano cria para afastar seu medo da morte.

As minhas questões são mais profundas: são dúvidas de fé. Tenho uma única certeza: existe um universo paralelo, espiritual, que interfere neste mundo em que vivemos. Fora isso, todo o resto – livros sagrados, revelações, guias, manuais, cerimônias –, tudo isso me parece absurdo. E, o que é pior, sem efeitos duradouros.

– Vou lhe dizer o que já senti – continua J. – Quando era jovem, ficava deslumbrado com todas as coisas que a vida podia me oferecer, achava que era capaz de conseguir cada uma delas. Quando me casei, tive que escolher apenas um caminho, porque precisava sustentar a mulher que amo e meus filhos. Aos 45 anos, depois de me tornar um executivo muito bem-sucedido, vi meus filhos crescerem e saírem de casa e achei que, a partir dali, tudo seria uma repetição do que já tinha experimentado.

"Foi aí que minha busca espiritual começou. Sou um homem disciplinado e me dediquei a ela com toda a energia. Passei por períodos de entusiasmo e de descrença até que cheguei ao momento que você está vivendo hoje."

– J., apesar de todos os meus esforços, não consigo dizer: "Estou mais perto de Deus e de mim mesmo." – digo, com certa exasperação.

– Isso porque, como todas as outras pessoas no planeta, você acreditou que o tempo iria lhe ensinar a se aproximar de Deus. Mas o tempo não ensina; ele nos traz apenas a sensação de cansaço, de envelhecimento.

O carvalho agora parecia estar me olhando. Devia ter mais de quatro séculos, e tudo o que havia aprendido foi a permanecer no mesmo lugar.

– Por que fomos fazer um ritual em torno do carvalho? Em

que isso nos ajuda a nos tornarmos seres humanos melhores?

– Porque as pessoas já não fazem rituais em torno de carvalhos. E, agindo de uma maneira que pode parecer absurda, você toca algo profundo em sua alma, em sua parte mais antiga, mais próxima da origem de tudo.

É verdade. Eu perguntei o que sabia e recebi a resposta que esperava. Preciso aproveitar melhor cada minuto ao lado dele.

– Hora de sair daqui – diz J., de forma abrupta.

Olho o relógio. Explico que o aeroporto é perto, poderíamos continuar conversando mais algum tempo.

– Não estou me referindo a isso. Quando passei pelo que você está vivendo, encontrei a resposta em algo que aconteceu antes que eu nascesse. É o que estou sugerindo que faça.

Reencarnação? Ele sempre desestimulara visitas às minhas vidas passadas.

– Já fui ao passado. Aprendi por mim mesmo, antes de conhecê-lo. Conversamos sobre isso; vi duas encarnações: um escritor francês no século XIX e um...

– Sim, eu sei.

– Cometi erros que não posso consertar agora. E você me disse que não tornasse a fazer isso, pois só iria aumentar minha culpa. Viajar a vidas passadas é como abrir um buraco no solo e deixar que o fogo do andar de baixo incendeie o presente.

J. atira o que restou da pera aos pássaros no jardim e olha para mim, irritado:

– Não diga bobagens, por favor. Não me faça acreditar que realmente tem razão e que não aprendeu nada durante esses 24 anos que passamos juntos.

Sim, eu sei do que ele está falando. Na magia – e na vida – há apenas o momento presente, o AGORA. Não se mede o tempo como se calcula a distância entre dois pontos. O "tempo" não passa. O ser humano tem uma gigantesca dificuldade em se concentrar no presente; está sempre pensando no que fez, em como poderia ter feito melhor, quais as consequências dos seus atos, por que não agiu como deveria ter agido. Ou então se preocupa com o futuro, o que vai fazer amanhã, que providências devem ser tomadas, qual o perigo que o espera na esquina, como evitar o que não deseja e como conseguir o que sempre sonhou.

J. retoma a conversa.

– Portanto, aqui e agora você começa a se perguntar: existe realmente algo errado? Sim, existe. Mas neste momento você também entende que pode mudar seu futuro trazendo o passado para o presente. Passado e futuro existem apenas em nossa memória.

"Mas o momento presente está além do tempo: é a Eternidade. Os indianos usam a palavra "karma", na falta de algo melhor. Mas o conceito está mal explicado: não é o que você fez na sua vida passada que vai afetar o presente. É o que você faz no presente que redimirá o passado e logicamente mudará o futuro."

– Ou seja...

Ele faz uma pausa, cada vez mais irritado por eu não conseguir entender o que está tentando me explicar.

– Não adianta ficar aqui usando palavras que não querem dizer nada. Vá experimentar. Hora de *você* sair daqui. Reconquistar o seu reino, agora corrompido pela rotina. Chega de repetir sempre a mesma aula, não é isso que o fará aprender algo novo.

– Não se trata de rotina. Estou infeliz.

– O nome disso é rotina. Você acha que existe porque está infeliz. Outras pessoas existem em função de seus problemas e vivem falando compulsivamente a respeito deles: problemas com filhos, marido, escola, trabalho, amigos. Não param para pensar: eu estou aqui. Sou resultado de tudo o que aconteceu e acontecerá, mas estou aqui. Se fiz algo de errado, posso corrigir ou pelo menos pedir perdão. Se fiz algo correto, isso me deixa mais feliz e conectado com o agora.

J. respirou fundo antes de completar:

– Você não está mais aqui. Hora de sair para voltar de novo ao presente.

★ ★ ★

ERA O QUE EU TEMIA. HÁ ALGUM TEMPO ELE vinha dando a entender que estava na hora de me dedicar ao terceiro caminho sagrado. Entretanto, minha vida mudara muito desde o longínquo ano de 1986, quando a peregrinação até Santiago de Compostela me levou a encarar meu próprio destino, ou o "projeto de Deus". Três anos mais tarde eu segui o Caminho de Roma, na região onde estávamos agora, um processo doloroso, entediante, que me obrigou a passar 70 dias fazendo na manhã seguinte todos os absurdos que sonhara na noite anterior (lembro que fiquei quatro horas em uma parada de ônibus, sem que nada de importante acontecesse).

Desde então, havia obedecido com disciplina a tudo o que meu trabalho exigisse. Afinal de contas, era minha escolha e minha bênção. Ou seja, passei a viajar como um louco. As grandes lições que aprendi foram justamente aquelas que as viagens me ensinaram.

Melhor dizendo, sempre viajei como um louco, desde jovem. Mas, recentemente, eu parecia estar vivendo em aeroportos e hotéis – e o sentido da aventura estava cedendo lugar a um profundo tédio. Quando reclamava que não conseguia ficar muito tempo em um lugar só, as pessoas se espantavam: "Mas viajar é tão bom! Pena que eu não tenho dinheiro para isso!"

Viajar nunca é uma questão de dinheiro, mas de coragem. Passei grande parte da vida correndo o mundo como hippie: que dinheiro tinha, então? Nenhum. Mal dava para pagar a passagem, mesmo assim acredito que foram alguns dos melhores anos de minha juventude – comendo mal, dormindo em estações de trem, incapaz de me comunicar por causa da língua, sendo obrigado a depender dos outros até para encontrar um abrigo onde passar a noite.

Depois de muito tempo na estrada, escutando uma língua que não compreende, usando um dinheiro de que não sabe o valor, caminhando por ruas que nunca passou, você descobre que o seu antigo Eu, com tudo o que aprendeu, é absolutamente inútil diante desses novos desafios – e começa a perceber que, enterrado lá no fundo do seu inconsciente, existe alguém muito mais interessante, aventureiro, aberto para o mundo e para experiências novas.

Mas chega um dia que você diz: "Basta!"

– Basta! Para mim, viajar se transformou numa monótona rotina.

– Não, não basta. Nunca vai bastar – insiste J. – Nossa vida é uma constante viagem, do nascimento à morte. A paisagem muda, as pessoas mudam, as necessidades se transformam, mas o trem segue adiante. A vida é o trem, não a estação de trem. E o que você tem feito agora não é viajar, mas mudar de países, o que é completamente diferente.

Balancei a cabeça negativamente.

– Não vai ajudar. Se preciso corrigir um erro que cometi em outra vida, e estou profundamente consciente desse erro, posso fazer isso aqui mesmo. Naquele calabouço eu apenas obedecia ordens de alguém que parecia conhecer os desígnios de Deus: você.

"Além do mais, já encontrei pelo menos quatro pessoas a quem pedi perdão."

– Mas não descobriu a maldição que foi lançada.

– Você também foi amaldiçoado na mesma época. E descobriu?

– Descobri a minha. E, posso garantir, foi muito mais dura que a sua. Você foi covarde uma vez, enquanto eu fui injusto muitas vezes. Mas isso me libertou.

– Se preciso viajar no tempo, por que é necessário viajar no espaço?

J. riu.

– Porque todos nós sempre temos uma possibilidade de redenção, mas para isso precisamos encontrar as pessoas a quem fizemos mal e pedir perdão.

– E aonde vou? Para Jerusalém?

– Não sei. Para onde você se comprometer a ir. Descubra o que deixou incompleto e termine a obra. Deus o guiará, porque no aqui e agora está tudo o que viveu e que viverá. O mundo está neste momento sendo criado e destruído. Quem você encontrou tornará a aparecer, quem você deixou partir haverá de retornar. Não traia as graças que lhe foram concedidas. Entenda o que se passa com você, e saberá o que se passa com todo mundo.

"Não pense que vim trazer a paz. Vim trazer a espada."

A chuva me faz tremer de frio, e meu primeiro pensamento é: "Vou ficar gripado." Consolo-me pensando que todos os médicos que conheci dizem que a gripe é provocada por vírus, não por gotas d'água.

Não consigo estar aqui e agora; minha cabeça é um rodamoinho completo: aonde devo chegar? Aonde devo ir? E se for incapaz de reconhecer as pessoas em meu caminho? Isso com certeza já aconteceu outras vezes, e tornará a acontecer – caso contrário, minha alma já estaria em paz.

Há 59 anos convivendo comigo mesmo, conheço algumas de minhas reações. No início de nossa relação, a palavra de J. parecia inspirada por uma luz muito mais forte que ele. Eu aceitava tudo sem perguntar uma segunda vez, seguia adiante sem medo e jamais me arrependi de ter feito isso. Mas o tempo foi passando, a convivência aumentou e, junto com ela, veio o hábito. Embora jamais tenha me decepcionado no que quer que seja, já não conseguia vê-lo da mesma forma. Mesmo que por obrigação – aceita voluntariamente em setembro de 1992, dez anos depois que o conheci – tivesse que obedecer ao que me dizia, já não fazia isso com a mesma convicção de antes.

Estou errado. Se escolhi seguir essa Tradição mágica, não devia ter esse tipo de questionamento agora. Estou livre para abandoná-la quando quiser, mas algo me empurra para a frente. Sem dúvida ele está certo, entretanto me conformei com a vida que levo e não preciso de mais desafios. Apenas de paz.

Deveria ser um homem feliz: sou bem-sucedido na minha profissão, uma das mais difíceis do mundo; estou casado há 27 anos com a mulher que amo; gozo de boa saúde; vivo cercado de gente em que posso confiar; sempre recebo o carinho dos meus leitores quando os encontro na rua. Houve um momento em que isso bastava, mas nesses dois últimos anos nada parece me satisfazer.

Será que se trata apenas de um conflito passageiro? Não basta fazer as orações de sempre, respeitar a natureza como a voz de Deus e contemplar o que há de belo ao meu redor? Para que desejar ir mais adiante, se estou convencido de que cheguei ao meu limite?

POR QUE NÃO POSSO SER COMO OS MEUS AMIGOS?

A chuva cai cada vez mais forte, e eu não escuto nada além do barulho da água. Estou ensopado e não consigo me mover. Não quero sair daqui porque não sei aonde ir, estou perdido. J. tem razão: se realmente tivesse chegado ao limite, esta sensação de culpa e frustração já teria passado. Mas ela continua. Temor e tremor. Quando a insatisfação não desaparece, ela foi colocada ali por Deus com uma única razão: é preciso mudar tudo, caminhar adiante.

Já vivi isso antes. Quando eu me recusava a seguir meu destino, alguma coisa muito difícil de suportar acontecia em minha vida. E esse é meu grande temor neste momento: a tragédia. A tragédia é uma mudança radical em nossas vidas, sempre ligada ao mesmo princípio: a perda. Quando estamos diante de uma perda, não adianta tentar recuperar o que já se foi, é melhor aproveitar o grande espaço aberto e preenchê-lo com algo novo. Teoricamente, toda perda é para nosso bem; na prática, é quando questionamos a existência de Deus e nos perguntamos: eu mereço isso?

Senhor, poupe-me da tragédia, e eu seguirei os Seus desígnios.

Quando acabo de pensar nisso, um trovão explode e o céu se ilumina com a luz do raio.

De novo, temor e tremor. Um sinal. Eu aqui tentando me convencer de que dou sempre o melhor de mim e a natureza me dizendo exatamente o oposto: quem realmente está comprometido com a vida jamais para de caminhar. Céu e terra neste momento se confrontam em uma tempestade que, ao passar, deixará o ar mais puro e o campo fértil – mas até lá casas serão derrubadas, árvores centenárias tombarão, lugares paradisíacos ficarão inundados.

Um vulto amarelo se aproxima.

Eu me entrego à chuva. Outros raios estão caindo, enquanto a sensação de desamparo vai sendo substituída por algo positivo – como se minha alma aos poucos fosse lavada com a água do perdão.

"Abençoe e será abençoado."

As palavras saíram naturalmente de dentro de mim – a sabedoria que desconheço ter, que sei que não me pertence, mas que às vezes se manifesta e não me deixa duvidar de tudo o que aprendi durante todos esses anos.

Meu grande problema é este: apesar desses momentos, eu continuo duvidando.

O vulto amarelo está diante de mim. É minha mulher, com uma das capas berrantes que usamos quando vamos passear por lugares de difícil acesso nas montanhas; se nos perdermos, será fácil nos localizar.

– Você esqueceu que temos um jantar.

Não, não esqueci. Saio da metafísica universal onde trovões são vozes de deuses e volto para a realidade da cidade do interior, o bom vinho, o carneiro assado, a conversa alegre com os amigos que nos contarão suas aventuras em uma recente viagem de Harley-Davidson. De volta a casa para mudar de roupa, resumo em poucas frases a conversa com J. aquela tarde.

– E ele disse aonde você deveria ir? – pergunta minha mulher.

– "Comprometa-se", ele me disse.

– E isso é difícil? Deixe de ser ranzinza. Você está parecendo mais velho do que já é.

Hervé e Veronique têm outros dois convidados, um casal de franceses de meia-idade. Um deles me é apresentado como um "vidente" que conheceram no Marrocos.

O homem não parece nem muito simpático nem muito antipático, apenas ausente. Entretanto, no meio do jantar, como se tivesse entrado em uma espécie de transe, diz para Veronique:

– Cuidado com o carro. Você vai sofrer um acidente.

Eu acho aquilo de péssimo gosto, porque, se Veronique o levar a sério, o medo terminará atraindo energia negativa e as coisas podem realmente acontecer como previsto.

– Que interessante! – digo antes que alguém possa reagir. – Não duvido que seja capaz de caminhar no tempo, em direção ao passado ou ao futuro. Estava conversando justamente sobre isso com um amigo esta tarde.

– Posso ver. Quando Deus permite, posso ver. Sei quem foi, quem é e quem será cada uma das pessoas que estão sentadas aqui nesta mesa. Não entendo meu dom, mas o aceitei faz tempo.

A conversa deveria ser sobre a viagem até a Sicília com amigos que dividem a mesma paixão pelas clássicas Harley-Davidson; de repente, parece perigosamente próxima de coisas que não quero escutar agora. Sincronicidade absoluta.

É minha vez de falar:

– Você sabe também que Deus só nos permite enxergar isso quando deseja que alguma coisa seja mudada.

Viro-me então para Veronique e digo:

– Apenas tome cuidado. Quando uma coisa no plano astral é colocada neste plano, ela perde grande parte da sua força. Ou seja, tenho quase certeza de que isso não acontecerá.

Veronique oferece mais vinho a todos. Ela acha que eu e o

vidente do Marrocos entramos em rota de colisão. Não é verdade; aquele homem realmente "vê" e isso me assusta. Depois conversarei com Hervé sobre o assunto.

O homem apenas me encara – continua com o ar ausente de quem entrou em uma dimensão sem pedir, mas que agora tem o dever de comunicar o que está sentindo. Quer me contar algo, mas prefere virar-se para a minha mulher:

– A alma da Turquia entregará ao seu marido todo o amor que ela possui. Mas irá derramar o sangue dele antes de revelar o que busca.

Mais um sinal confirmando que não devo viajar agora, penso, sabendo que procuramos interpretar todas as coisas de acordo com aquilo que queremos, e não como elas são.

O BAMBU-CHINÊS

Estar neste trem indo de Paris para Londres, a caminho da Feira do Livro, é uma bênção para mim. Cada vez que venho à Inglaterra lembro-me de 1977, quando deixei meu emprego em uma gravadora de discos, decidido a passar o resto da vida vivendo de literatura. Aluguei um apartamento em Bassett Road, fiz vários amigos, estudei vampirologia, conheci a cidade a pé, namorei, vi todos os filmes em cartaz e, antes de um ano, eu estava de volta ao Rio de Janeiro, incapaz de escrever uma só linha.

Desta vez ficarei na cidade apenas por três dias. Um encontro com leitores, jantares em restaurantes indianos e libaneses, conversas no saguão do hotel sobre livros, livrarias e autores. Não tenho planos de retornar à minha casa em Saint Martin até o final do ano. Daqui pego um avião de volta para o Rio de Janeiro, onde posso escutar minha língua materna nas ruas, tomar suco de açaí todas as noites e contemplar da minha janela, sem nunca me cansar, a vista mais bela do mundo: a praia de Copacabana.

★ ★ ★

Pouco antes da chegada, um rapaz entra no vagão com um buquê de rosas e começa a olhar à sua volta. Estranho, porque nunca vi vendedores de flores no Eurostar.

– Preciso de 12 voluntários – diz em voz alta. – Cada um vai carregar uma rosa quando chegarmos. A mulher da minha vida está me esperando, e gostaria de pedir sua mão em casamento. Várias pessoas se oferecem, inclusive eu, mas termino não sendo escolhido. Mesmo assim, quando o trem chega, eu resolvo acompanhar o grupo. O rapaz aponta para uma moça na plataforma. Um a um, os passageiros vão entregando suas rosas para ela. No final, ele declara seu amor, todos aplaudem e a garota abaixa o rosto, morta de vergonha. Logo em seguida, os dois se beijam e saem abraçados.

Um comissário de bordo comenta:

– Desde que trabalho aqui foi a coisa mais romântica que aconteceu nesta estação.

★　★　★

O ÚNICO ENCONTRO COM LEITORES QUE havia sido programado durou apenas cinco horas, mas me encheu de energia positiva e me fez perguntar: por que tantos conflitos todos esses meses? Se meu progresso espiritual parece ter encontrado uma barreira intransponível, não é melhor ter um pouco de paciência? Vivi o que pouquíssimas pessoas que me cercam tiveram a oportunidade de experimentar.

Antes da viagem, fui a uma pequena capela em Barbazan--Debat. Ali, pedi à Virgem que me orientasse com seu amor, fazendo com que fosse capaz de enxergar todos os sinais que me levassem de volta ao encontro comigo mesmo. Sei que estou nas pessoas que me cercam, e elas estão em mim. Juntos escrevemos o Livro da Vida, com nossos encontros sempre determinados pelo destino e nossas mãos unidas na fé de que podemos fazer a diferença neste mundo. Cada um colabora com uma palavra, uma frase, uma imagem, mas no final tudo passa a fazer sentido: a felicidade de um se transforma na alegria de todos.

Sempre nos perguntaremos as mesmas coisas. Sempre precisaremos ter humildade suficiente para aceitar que nosso coração entende a razão de estarmos aqui. Sim, é difícil conversar com o coração, mas será mesmo necessário? Basta ter confiança, seguir os sinais, viver sua Lenda Pessoal e, cedo ou tarde, percebemos que estamos participando de algo, mesmo que não possamos *compreender* racionalmente. Diz a tradição que, no segundo antes da nossa morte, cada um se dá conta da verdadeira razão da existência. E nesse momento nasce o Inferno ou o Paraíso.

O Inferno é olhar para trás nessa fração de segundo e saber que desperdiçamos uma oportunidade de dignificar o milagre da vida. O Paraíso é poder dizer nesse momento: "Cometi alguns erros, mas não fui covarde. Vivi minha vida e fiz o que devia fazer."

Portanto, não preciso antecipar meu inferno e ficar remoendo o fato de não conseguir ir adiante no que entendo como "Busca Espiritual". Devo continuar tentando, e isso basta. Mesmo aqueles que não fizeram tudo aquilo que podiam ter feito já estão perdoados; pagaram sua pena enquanto viviam, foram infelizes quando podiam estar em paz e harmonia. Estamos todos redimidos, livres para seguir adiante nesta caminhada que não teve começo e não terá fim.

★ ★ ★

NÃO TROUXE NENHUM LIVRO COMIGO. Enquanto espero para descer e jantar com meus editores russos, folheio uma dessas revistas que estão sempre nas mesas de quartos de hotéis. Leio sem muita curiosidade um artigo sobre bambus-chineses. Depois de plantada a semente, não se vê nada por aproximadamente cinco anos – exceto um diminuto broto. Todo o crescimento é subterrâneo; uma complexa estrutura de raiz, que se estende vertical e horizontalmente pela terra, está sendo construída. Então, ao final do quinto ano, o bambu-chinês cresce velozmente até atingir a altura de 25 metros.

Não podia ter encontrado leitura mais aborrecida para passar o tempo. Melhor descer e ficar olhando o que acontece no saguão do hotel.

★   ★   ★

Tomo um café enquanto aguardo a hora do jantar. Mônica, minha agente e melhor amiga, também desce e senta-se à minha mesa. Conversamos algumas coisas sem muita importância. Vejo que está cansada de ter passado o dia inteiro com os profissionais do livro, enquanto monitorava por telefone, com a editora inglesa, o que estava acontecendo durante o meu encontro com os leitores.

Começamos a trabalhar juntos quando ela ainda tinha 20 anos; era mais uma leitora entusiasmada que estava convencida de que um escritor brasileiro poderia ser traduzido e publicado fora do seu país. Mônica abandonou a faculdade de Engenharia Química, no Rio de Janeiro, mudou-se para a Espanha com o namorado e ficou batendo em portas de editoras, enviando cartas, explicando que precisavam prestar atenção ao meu trabalho.

Certo dia fui até a pequena cidade na Catalunha onde ela morava, a convidei para um café e pedi que deixasse tudo aquilo de lado e pensasse mais na sua vida e no seu futuro, já que nada estava dando resultado. Ela se recusou e me disse que não poderia voltar para o Brasil com uma derrota. Procurei convencê-la de que ela havia vencido, fora capaz de sobreviver (distribuindo panfletos, trabalhando como garçonete) e tivera a experiência única de morar fora do seu país. Mônica continuou recusando. Saí daquele café com a sensação de que ela estava jogando sua vida fora, mas eu nunca conseguiria fazer com que mudasse de ideia, pois era muito teimosa. Seis meses depois a situação mudaria por completo e, em mais seis meses, ela teria dinheiro suficiente para comprar um apartamento.

Acreditou no impossível e, justamente por causa disso, venceu batalhas que todos – inclusive eu – considerávamos perdidas. Essa é a qualidade do guerreiro: entender que vontade e coragem não são a mesma coisa. Coragem pode atrair medo e adulação, mas força de vontade requer paciência e compromisso. Homens e mulheres com imensa força de vontade são geralmente solitários, porque transparecem frieza. Muita gente pensa que Mônica é um pouco fria, mas não poderiam estar mais longe da verdade: no seu coração arde um fogo secreto, tão intenso como era na época em que nos encontramos naquele café. Apesar de tudo o que conseguiu, ela mantém o entusiasmo de sempre.

Quando ia contar – para distraí-la – minha recente conversa com J., entram no café as duas editoras da Bulgária. Muitos dos participantes da Feira do Livro estão hospedados no mesmo hotel. Falamos de amenidades, e logo Mônica assume o rumo da conversa. Como é de costume, uma delas vira-se para mim e faz a pergunta protocolar:

– Quando irá visitar de novo nosso país?

– Se vocês conseguirem organizar a viagem, na semana que vem. A única coisa que quero é uma festa depois da tarde de autógrafos.

As duas me olham incrédulas.

O BAMBU-CHINÊS!

Mônica me encara horrorizada:

– Nós vamos ver a agenda...

– ... mas com certeza posso estar em Sófia na semana que vem – interrompo Mônica.

E para ela, em português:

– Mais tarde eu te explico.

Mônica vê que não estou brincando, mas as editoras duvidam. Perguntam se não gostaria de esperar um pouco, até que possam fazer um trabalho de promoção à altura.

– Semana que vem – eu insisto. – Ou então deixamos para uma próxima oportunidade.

Só então entendem que estou falando sério. Viram-se para Mônica aguardando os detalhes. Neste exato momento, chega meu editor espanhol. A conversa na mesa é interrompida, as apresentações são feitas e vem a pergunta de praxe:

– Então, quando é que teremos o prazer de vê-lo em nosso país novamente?

– Logo depois de minha visita à Bulgária.

– Quando será isso?

– Daqui a duas semanas. Podemos marcar uma tarde de autógrafos em Santiago de Compostela e outra no País Basco. Com festas para celebrar os encontros, onde convidaremos alguns leitores.

As editoras búlgaras começam a duvidar de novo, e Mônica esboça um sorriso amarelo.

"Comprometa-se!", dissera J.

O bar começa a encher. Em todas as grandes feiras, sejam de livros ou de maquinaria pesada, os profissionais costumam ficar em dois ou três hotéis, e grande parte dos negócios é fechada nos saguões e nos jantares como os que estão para acontecer aquela noite. Cumprimento todos os editores e vou aceitando convites à medida que repetem a pergunta de sempre: "Quando irá visitar nosso país?" Procuro manter a conversa o tempo suficiente para evitar que Mônica me pergunte o que está acontecendo. Só lhe resta anotar em sua agenda os compromissos que estou assumindo.

Em um determinado momento interrompo uma discussão com o editor árabe para saber quantas visitas estão marcadas.

– Você está me deixando numa situação complicadíssima – responde Mônica em português, irritada.

– Quantos?

– Seis países, cinco semanas. Você não sabe que esta feira é para profissionais, e não para escritores? Não precisa aceitar convite nenhum, eu me encarrego de...

Chega o editor português e não podemos continuar conversando em nossa língua secreta. Como ele não diz nada além das amenidades de sempre, eu me ofereço:

– Você não vai me convidar para visitar Portugal?

Ele confessa que estava próximo e conseguiu escutar o que eu e Mônica conversávamos.

– Não estou brincando. Gostaria muito de fazer uma tarde de autógrafos em Guimarães e outra em Fátima.

– Não dá para cancelar em cima da hora, você sabe...

– Não vou cancelar. Prometo.

Ele concorda, e Mônica coloca Portugal na agenda: mais cinco dias. Finalmente meus editores russos – um homem e uma mulher – se aproximam e nos cumprimentam. Mônica respira aliviada. Hora de me arrastar dali para o restaurante.

Enquanto aguardamos o táxi, ela me puxa para um lado.

– Você enlouqueceu?

– Há muitos anos, como sabe. Conhece a história do bambu-chinês? Ele demora cinco anos como broto, apenas aumentando suas raízes. E, de uma hora para outra, cresce 25 metros.

– E o que isso tem a ver com esta insanidade que acabo de presenciar?

– Mais tarde conto a conversa que tive há um mês com J. Mas o que interessa agora é que isso estava acontecendo comigo: investi trabalho, tempo e esforço, procurei nutrir o crescimento com muito amor e muita dedicação, e nada acontecia. Nada aconteceu durante anos.

– Como é que nada aconteceu? Você não tem consciência de quem é?

O táxi chega. O editor russo abre a porta para que Mônica entre.

– Estou falando do lado espiritual. Penso que sou um bambu--chinês e que meu quinto ano chegou. Hora de me levantar de novo. Você me perguntou se eu enlouqueci e respondi com uma brincadeira. Mas a verdade é que estava enlouquecendo. Comecei a achar que tudo o que havia aprendido não deitava raízes.

Em uma fração de segundo, logo depois da chegada das editoras búlgaras, sentira a presença de J. ao meu lado e então entendi suas palavras – embora esse insight só tivesse ocorrido depois de folhear uma revista sobre jardinagem em um momento de tédio absoluto. O meu exílio autoimposto, que por um lado me fez descobrir coisas muito importantes em mim mesmo, também teve um efeito colateral sério: a solidão se tornou um vício. O meu universo havia se limitado aos poucos amigos nas montanhas, às respostas a cartas e e-mails e à ilusão de que "todo o resto do tempo era meu". Enfim, uma vida sem os naturais problemas que resultam da convivência com outras pessoas, do contato humano.

Mas é isso que estou buscando? Uma vida sem desafios? E qual a graça de buscar Deus fora das pessoas?

Conheço muitos que fizeram isso. Uma vez tive uma discussão séria e ao mesmo tempo engraçada com uma monja budista que passara 20 anos isolada em uma caverna no Nepal. Perguntei o que tinha conseguido. "Um orgasmo espiritual", respondera. Comentei que há maneiras mais fáceis de conseguir orgasmos.

Jamais conseguiria percorrer esse caminho – ele não está no meu horizonte. Simplesmente não consigo; não poderia passar o resto da vida buscando orgasmos espirituais ou contemplando o carvalho no jardim da minha casa e esperando que a sabedoria viesse da contemplação. J. sabe disso e me incitou a fazer esta viagem para que eu entendesse que meu caminho está refletido no olhar dos outros e, se eu quiser encontrar a mim mesmo, preciso desse mapa.

Peço desculpas aos editores russos e digo que preciso terminar uma conversa com Mônica em português. Começo a lhe contar uma história:

– Um homem escorregou e caiu em um buraco. Um padre passava pelo local, e o homem pediu que o ajudasse a sair dali. O padre o abençoou, mas seguiu adiante. Horas depois apareceu um médico. O homem pediu ajuda, o médico limitou-se a olhar de longe os arranhões, escrever uma receita e dizer que comprasse aqueles medicamentos na farmácia mais próxima. Finalmente surgiu alguém que ele nunca vira antes. De novo pediu ajuda, e o estranho jogou-se dentro do buraco. "Mas e agora? Nós dois estamos presos aqui!" Ao que o estranho respondeu: "Não estamos, não. Eu sou da região e sei como chegar lá em cima."

– O que significa... – diz Mônica.

– Que estou precisando de estranhos como esse – explico. – Minhas raízes estão prontas, mas só conseguirei seguir adiante com a ajuda dos outros. Não apenas de você, ou de J., ou de minha mulher, mas de gente que nunca vi. Tenho certeza. Foi por isso que pedi uma festa ao final das tardes de autógrafos.

– Você nunca está satisfeito – queixa-se Mônica.

– E é justamente por isso que você me adora – digo com um sorriso.

No restaurante falamos um pouco de tudo, celebramos algumas conquistas e tentamos afinar certos detalhes. Tenho que me controlar para não me intrometer demais, já que Mônica é quem dá as cartas em tudo o que se refere à edição. Mas, em determinado momento, surge novamente a pergunta – desta vez dirigida a ela:

– E quando podemos contar com a presença do Paulo na Rússia?

Mônica começa a explicar que minha agenda agora está muito complicada, já que tenho uma série de compromissos a partir da semana que vem. E neste momento eu a interrompo:

– Sempre tive um sonho. Já tentei realizá-lo duas vezes e não consegui. Se vocês me ajudarem, eu vou à Rússia.

– E qual é o sonho?

– Atravessar o país de trem e chegar até o oceano Pacífico. Podemos parar em alguns lugares e fazer tardes de autógrafos. Assim honraremos os leitores que jamais têm oportunidade de ir até Moscou.

Os olhos do meu editor brilham de alegria. Ele estava conversando justamente a respeito das dificuldades crescentes de distribuição em um país tão grande, com sete fusos horários diferentes.

– Ideia muito romântica, muito bambu-chinês, mas pouco prática – ri Mônica. – Você sabe que não poderei acompanhá-lo porque acabo de ter um filho.

O editor, porém, está entusiasmado. Pede seu quinto café naquela noite, explica que se encarregará de tudo, que a subagente de Mônica poderá representá-la, que ela não precisa se preocupar com nada: tudo vai correr bem.

Completo assim a agenda com dois meses seguidos de viagem, deixando pelo caminho uma série de pessoas contentes mas estressadas porque terão que organizar tudo em cima da hora, uma agente e amiga que me olha com carinho e respeito e um mestre que não está aqui mas sabe que me comprometi mesmo sem entender o que ele dizia. É uma noite fria e prefiro voltar andando sozinho para o hotel, assustado comigo mas alegre porque agora não posso voltar atrás.

E era isso mesmo o que eu queria. Se eu acreditasse que iria vencer, a vitória também acreditaria em mim. Nenhuma vida está completa sem um toque de loucura. Ou, usando as palavras de J.: eu precisava reconquistar o meu reino. Se fosse capaz de entender o que se passava no mundo, seria capaz de compreender o que se passava comigo.

★　★　★

No hotel há uma mensagem da minha mulher dizendo que não conseguiu me localizar e pedindo que eu ligue assim que puder. Meu coração dispara, pois ela raramente telefona quando estou viajando. Retorno imediatamente a ligação. Os segundos entre um toque e outro parecem uma eternidade.

Finalmente ela atende.

– Veronique sofreu um acidente de carro violento, mas não corre perigo – diz, nervosa.

Pergunto se posso telefonar para ela agora, mas a resposta é não. Veronique está no hospital.

– Você se lembra do vidente?

Sim, me lembro! Ele também previu algo para mim. Desligamos e chamo imediatamente o quarto de Mônica. Pergunto se por acaso combinei alguma visita para a Turquia.

– Você não se lembra dos convites que aceitou?

Digo que não. Estava em uma espécie de euforia quando comecei a dizer "sim" para todos os editores.

– Mas você sabe os compromissos que assumiu, não sabe? Ainda dá para cancelar, se for o caso.

Explico que estou contente com os compromissos, não se trata disso. A essa hora da noite fica muito difícil explicar o vidente, a previsão, o acidente de Veronique. Insisto para que Mônica me diga se agendei algum evento na Turquia.

– Não – responde ela. – Os editores turcos estão hospedados em um hotel diferente. Caso contrário...

Nós dois rimos.

Posso dormir sossegado.

A LANTERNA DO ESTRANGEIRO

Quase dois meses de peregrinação, a alegria está de volta, mas toda noite me pergunto se ela permanecerá comigo quando voltar para casa. Será que estou fazendo o que realmente é necessário para o bambu-chinês crescer? Já passei por seis países, encontrei meus leitores, me diverti, afastei provisoriamente uma depressão que estava ameaçando se instalar, mas algo me diz que ainda não recuperei meu reino. Tudo o que tenho feito não é muito diferente das viagens dos anos anteriores.

Agora falta apenas a Rússia. E depois, o que fazer? Continuar arranjando compromissos para seguir adiante ou parar e ver quais são os resultados?

Ainda não cheguei a nenhuma conclusão. Sei apenas que uma vida sem causa é uma vida sem efeito. E não posso permitir que isso me aconteça. Se for necessário, viajo o resto do ano.

Estou na cidade africana de Túnis, na Tunísia. A conferência vai começar, e – graças a Deus – o salão está lotado. Deveria ser apresentado por dois intelectuais locais. No rápido encontro que tivemos antes, um deles me mostrou um texto de dois minutos, o outro tinha escrito uma tese de meia hora sobre o meu trabalho.

Com muito cuidado, o coordenador explica que é impossível a leitura da tese, já que o evento deve durar no máximo 50 minutos. Imagino quanto ele deve ter trabalhado no texto, mas o coordenador tem razão: estou em Túnis para ter contato com meus leitores. Há uma breve discussão, ele diz que não deseja mais participar e sai.

Começa a conferência. As introduções e os agradecimentos duram no máximo cinco minutos, e agora tenho o resto do tempo para um diálogo aberto. Digo que não estou ali para explicar nada, o ideal seria que o evento deixasse de ser uma apresentação convencional e se transformasse em uma conversa.

Uma jovem faz a primeira pergunta: o que são os sinais de que tanto falo em meus livros? Explico que é uma linguagem extremamente pessoal que desenvolvemos ao longo da vida, através de acertos e erros, até que entendemos quando Deus está nos guiando. Outro pergunta se foi um sinal que me trouxe a este país longínquo. Digo que sim, mas não entro em maiores detalhes.

A conversa continua, o tempo passa rapidamente e preciso terminar a palestra. Escolho ao acaso, no meio de 600 pessoas, um homem de meia-idade, com um grosso bigode, para a pergunta final.

– Não quero fazer nenhuma pergunta – diz ele. – Quero apenas falar um nome.

E diz o nome de uma pequena igreja em Barbazan-Debat, que fica no meio de lugar nenhum, a milhares de quilômetros de onde me encontro, e onde um dia coloquei uma placa agradecendo um milagre. É o nome da igreja aonde fui, antes desta peregrinação, pedir à Virgem que protegesse os meus passos.

Já não sei mais como continuar a conferência. As palavras a seguir foram escritas por um dos apresentadores que compunham a mesa:

"E de repente o Universo parecia ter parado de se mover naquela sala. Tantas coisas aconteceram: eu vi suas lágrimas. Eu vi as lágrimas de sua doce mulher, quando aquele leitor anônimo pronunciou o nome de uma capela perdida em um lugar do mundo.

Você perdeu a voz. Seu rosto sorridente tornou-se sério. Seus olhos se encheram de lágrimas tímidas, que tremiam na ponta dos cílios, como se quisessem se desculpar por estarem ali sem serem convidadas.

Ali também estava eu, sentindo um nó na garganta, sem saber por quê. Procurei na plateia minha mulher e minha filha, são elas que sempre busco quando me sinto à beira de algo que não conheço. Elas estavam lá, mas tinham os olhos fixos em você, silenciosas como todo mundo, procurando apoiá-lo com seus olhares, como se olhares pudessem apoiar um homem.

Então procurei fixar-me em Christina, pedindo socorro, tentando entender o que estava acontecendo, como terminar aquele silêncio que parecia infinito. E vi que também ela chorava, em silêncio, como se vocês fossem notas da mesma sinfonia e como se as lágrimas dos dois se tocassem apesar da distância.

E durante longos segundos já não havia mais sala, nem público, nada mais. Você e sua mulher tinham partido para um lugar onde ninguém podia segui-los; tudo o que existia era a alegria de viver, contada apenas com o silêncio e a emoção.

As palavras são lágrimas que foram escritas. As lágrimas são palavras que precisam jorrar. Sem elas, nenhuma alegria tem brilho, nenhuma tristeza tem um final. Portanto, obrigado por suas lágrimas."

Deveria ter dito à moça que tinha feito a primeira pergunta – sobre os sinais – que ali estava um deles, afirmando que eu me encontrava no lugar onde devia estar, na hora certa, apesar de nunca entender direito o que me levou até ali.

Mas penso que não foi necessário: ela deve ter percebido.*

---

*N. do A.: Logo depois da conferência fui procurar o homem de bigode. Seu nome era Christian Dhellemmes. Depois desse episódio, trocamos alguns e-mails, porém nunca mais nos encontramos pessoalmente. Ele faleceu no dia 19 de julho de 2009, em Tarbes, na França.

Minha mulher e eu caminhamos de mãos dadas pelo bazar de Túnis, a 15 quilômetros das ruínas de Cartago, que num passado remoto foi capaz de enfrentar a poderosa Roma. Discutimos a epopeia de Aníbal, um de seus guerreiros. Os romanos esperavam uma batalha marítima, já que as duas cidades estavam separadas por apenas algumas centenas de quilômetros de mar. Mas Aníbal enfrentou o deserto, cruzou o estreito de Gibraltar com um gigantesco exército, atravessou Espanha e França, subiu os Alpes com soldados e elefantes e atacou o Império pelo norte, em uma das maiores epopeias militares de que se tem notícia.

Venceu todos os inimigos em seu caminho e de repente – sem que até hoje alguém saiba direito por quê – parou diante de Roma e não a atacou no momento exato. O resultado dessa indecisão: Cartago foi riscada do mapa pelas legiões romanas.

– Aníbal parou e foi derrotado – penso em voz alta. – Eu agradeço por continuar, mesmo que no início tenha sido difícil. Estou começando a me acostumar com a viagem.

Minha mulher finge não ter escutado, porque já percebeu que estou tentando me convencer de alguma coisa. Vamos até um bar para nos encontrarmos com um leitor, Samil, selecionado ao acaso na festa que se seguiu à palestra. Peço que evite todos os monumentos e pontos turísticos e nos mostre onde se encontra a verdadeira vida da cidade.

Ele nos leva até um lindo edifício onde, no ano de 1754, um irmão matou o outro. O pai de ambos resolveu construir este palácio para abrigar uma escola, mantendo viva a memória do filho assassinado. Comento que, ao fazer isso, o filho assassino também seria lembrado.

– Não é bem assim – diz Samil. – Em nossa cultura, o criminoso divide a culpa com todos que lhe permitiram cometer o crime. Quando um homem é assassinado, aquele que lhe vendeu a arma é responsável também diante de Deus. A única maneira de o pai corrigir o que considerava seu erro foi transformar a tragédia em algo que pudesse ajudar os outros.

De repente some tudo – a fachada da casa, a rua, a cidade, a África. Dou um gigantesco salto no escuro, entro em um túnel que sai em um subterrâneo úmido. Estou ali diante de J., em uma das muitas vidas que vivi, 200 anos antes do crime na tal casa. Seu olhar é duro, está prestes a me censurar.

Volto com a mesma rapidez para o presente. Tudo aconteceu em uma fração de segundo; a casa, Samil, minha mulher e o burburinho da rua em Túnis estão de volta. Por que isso? Por que as raízes do bambu-chinês ainda insistem em envenenar a planta? Tudo já foi vivido e o preço, pago.

"Você foi covarde uma vez, enquanto eu fui injusto muitas vezes. Mas isso me libertou", dissera J. em Saint Martin. Logo ele, que nunca me incentivara a voltar ao passado, que era absolutamente contra os livros, manuais e exercícios que ensinavam isso.

– Em vez de recorrer à vingança, que se limita ao castigo, a escola permitiu que instrução e sabedoria pudessem ser transmitidas por mais de dois séculos – termina Samil.

Eu não perdi uma só palavra do que Samil acabara de dizer e, mesmo assim, tinha dado um gigantesco salto no tempo.

– É isso.

– É isso o quê? – pergunta minha mulher.

– Estou caminhando. Começo a entender. Tudo está fazendo sentido.

Sinto uma grande euforia. Samil não está entendendo direito.

– O que o Islã pensa da reencarnação? – pergunto.

Samil me olha surpreso.

– Não tenho a menor ideia, não sou um estudioso – diz.

Peço que se informe. Ele pega o celular e começa a dar alguns telefonemas. Nós dois vamos até um bar e pedimos cafés fortíssimos. O jantar desta noite será de frutos do mar, estamos cansados e precisamos resistir à tentação de beliscar algo.

– Tive um déjà vu – explico.

– Todo mundo tem às vezes. É aquela misteriosa sensação de que já vivemos o momento presente. Não é preciso ser mago para isso – brinca Christina.

Claro que não. Mas o déjà vu vai muito além de uma surpresa que esquecemos rapidamente, porque jamais nos detemos em algo que não faz nenhum sentido. Ele mostra que o tempo não passa. É um salto em algo que já foi realmente vivido e está sendo repetido.

Samil desapareceu de vista.

– Enquanto o rapaz contava a história da casa, fui atirado no passado em um milésimo de segundo. Tenho certeza de que isso aconteceu quando ele comentou que a responsabilidade não é apenas do assassino, mas também de todos aqueles que criaram as condições para o crime. Na primeira vez que estive com J., em 1982, ele comentou algo sobre minha ligação com seu pai. Depois nunca mais voltou a tocar no assunto, e eu também esqueci. Mas há alguns momentos eu o vi. E sei do que estava falando.

– Naquela vida que você me contou...

– Isso. Naquela vida. Na Inquisição Espanhola.

– Já passou. Não vale a pena ficar voltando e se torturando por algo que fez há muito tempo.

– Não me torturo. Há muito tempo aprendi que para curar minhas feridas eu precisava ter coragem de encará-las. Aprendi também a me perdoar e a corrigir meus erros. Entretanto, desde que saí de viagem parece que estou diante de um gigantesco quebra-cabeça, cujas peças estão começando a se mostrar; peças de amor, de ódio, de sacrifício, de perdão, de alegria, de infelicidade. É por isso que estou aqui com você. Sinto-me muito melhor, como se de fato estivesse em busca da minha alma, do meu reino, em vez de ficar reclamando que não consigo assimilar tudo o que aprendi.

"Não consigo porque não entendo direito. Mas, quando entender, a verdade me libertará."

★　★　★

Samil está de volta, com um livro em árabe. Senta-se conosco, consulta suas anotações e o folheia com todo o respeito, murmurando palavras em árabe.

– Falei com três estudiosos – diz finalmente. – Dois deles afirmaram que depois da morte os justos vão para o Paraíso. O terceiro, porém, me pediu que consultasse alguns versículos do Corão.

Vejo que está excitado.

– Aqui está o primeiro, 2:28: *"Allah o fará morrer, e depois o reviverá, e de novo você voltará a Ele."* Desculpe se minha tradução não está absolutamente correta, mas é isso que quer dizer.

Ele folheia febrilmente o livro sagrado. Traduz o segundo versículo, 2:154:

– *"E não diga sobre aqueles que foram sacrificados em nome de Allah: 'Eles estão mortos.' Não, eles estão vivos, mesmo que você não consiga percebê-los."*

– Isso!

– Tenho outros versículos. Mas, se quer saber a verdade, não me sinto muito confortável em discutir isso agora. Prefiro falar sobre Túnis.

– É suficiente. As pessoas nunca partem, estamos sempre aqui em nossas vidas passadas e futuras. Se você quer saber, esse tema também aparece na Bíblia. Eu me lembro de uma passagem em que Jesus se refere a João Batista como a encarnação de Elias: *"E se vocês quiserem aceitar, este (João) é o Elias que havia de vir."* Mas também há outros versículos a respeito – comento.

Ele começa a contar algumas lendas sobre o nascimento da cidade. E eu entendo que é hora de levantarmos e continuarmos o passeio.

★   ★   ★

EM UMA DAS PORTAS DA ANTIGA MURALHA há uma lanterna e Samil nos explica o seu significado:

– Aqui está a origem de um dos mais célebres provérbios árabes: "A luz ilumina apenas o estrangeiro."

Ele comenta que o provérbio se aplica muito bem à situação que estamos vivendo agora. Samil sonha ser escritor e luta por reconhecimento em seu próprio país, enquanto eu, um autor brasileiro, já sou conhecido por aqui.

Explico que também usamos um provérbio semelhante: "Ninguém é profeta em sua terra." Tendemos sempre a valorizar aquilo que vem de longe, sem jamais reconhecer tudo de belo que está ao nosso redor.

– Entretanto – continuo – de vez em quando precisamos ser estrangeiros de nós mesmos. E assim a luz escondida em nossa alma iluminará o que precisa ser visto.

Minha mulher parece não estar acompanhando a conversa. Mas em determinado momento vira-se para mim e diz:

– Tem alguma coisa nesta lanterna que não consigo explicar exatamente o que é, mas que se aplica a você agora. Quando souber, eu lhe direi.

★   ★   ★

Dᴏʀᴍɪᴍᴏs ᴜᴍ ᴘᴏᴜᴄᴏ, ᴊᴀɴᴛᴀᴍᴏs ᴄᴏᴍ amigos e vamos passear novamente pela cidade. Só então minha mulher consegue me dizer o que sentiu aquela tarde:

– Você está viajando, mas ao mesmo tempo não saiu de casa. Enquanto estivermos juntos, isso vai continuar acontecendo, já que tem alguém ao seu lado que o conhece e isso lhe dá a falsa sensação de que tudo é familiar. Portanto é hora de seguir adiante sozinho. A solidão pode ser muito grande e opressora, mas terminará desaparecendo se você estiver mais em contato com os outros.

Depois de uma pausa, ela continua:

– Li certa vez que não existem duas folhas iguais numa floresta de 100 mil árvores. Também não existem duas viagens iguais no mesmo Caminho. Se continuarmos juntos, tentando fazer com que as coisas se encaixem em nossa maneira de ver o mundo, nenhum de nós vai se beneficiar. Eu te abençoo e te digo: até a Alemanha, para o primeiro jogo da Copa do Mundo de Futebol!

SE O VENTO FRIO PASSAR

Há uma moça me esperando do lado de fora do hotel em Moscou, quando chego com meus editores. Ela se aproxima e segura as minhas mãos.

– Preciso conversar com você. Vim de Ekaterinburg só para isso.

Estou cansado. Acordei mais cedo do que estou acostumado, precisei trocar de avião em Paris porque não havia voo direto, tentei dormir na viagem mas, cada vez que conseguia cochilar, entrava em uma espécie de sonho repetido que não me agradava nada.

Meu editor explica que amanhã teremos uma tarde de autógrafos e que daqui a três dias estaremos em Ekaterinburg, primeira parada na viagem de trem. Estendo a mão para despedir-me e noto que as dela estão muito frias.

– Por que não entrou no hotel para me esperar?

Na verdade gostaria de perguntar como descobriu o hotel em que estou hospedado. Mas talvez isso não seja tão difícil, e não é a primeira vez que acontece algo parecido.

– Li o seu blog outro dia e entendi que escreveu para mim.

Estava começando a postar minhas reflexões sobre a viagem em um blog. Era ainda algo experimental e, como mandava os textos com antecedência, não sabia exatamente a que artigo ela se referia. Mesmo assim, com toda a certeza não havia nenhuma referência à moça que conhecera alguns segundos antes.

Ela tira um papel impresso com parte do meu texto. Eu o sei de cor, embora não me recorde quem me contou a história: um homem que precisa de dinheiro pede a seu patrão que o ajude. O patrão o desafia: se ele passar uma noite inteira no alto da montanha, receberá uma grande recompensa, mas, se não conseguir, terá que trabalhar de graça.

O texto continua:

"Ao sair da loja, viu que soprava um vento gelado, ficou com medo e resolveu perguntar ao seu melhor amigo, Aydi, se não era uma loucura fazer essa aposta.

Depois de refletir um pouco, Aydi respondeu: 'Vou lhe ajudar. Amanhã, quando estiver no alto da montanha, olhe adiante. Eu estarei no alto da montanha vizinha, passarei a noite inteira com uma fogueira acesa para você. Olhe para o fogo, pense em nossa amizade, e isso o manterá aquecido. Você vai conseguir, e depois eu lhe peço algo em troca.'

Ali venceu a prova, pegou o dinheiro e foi até a casa do amigo: 'Você me disse que queria um pagamento.'

Aydi respondeu: 'Sim, mas não em dinheiro. Prometa que, se em algum momento o vento frio passar por minha vida, acenderá para mim o fogo da amizade.'"

Eu agradeço o carinho, digo que agora estou ocupado, mas que, se ela quiser ir até a única tarde de autógrafos que darei em Moscou, terei o maior prazer em assinar um de seus livros.

– Eu não vim para isso. Eu sei que irá cruzar a Rússia de trem e vou com você. Quando li seu primeiro livro, escutei uma voz dizendo que certa vez você acendeu para mim um fogo sagrado e que um dia precisava retribuir isso. Sonhei muitas noites com esse fogo e pensei em ir até o Brasil encontrá-lo. Sei que você precisa de ajuda e estou aqui para isso.

As pessoas que estão comigo riem. Eu procuro ser gentil, dizendo que nos vemos no dia seguinte. O editor explica que alguém está me esperando, aproveito a desculpa e me despeço.

– Meu nome é Hilal – diz ela, antes de ir embora.

Dez minutos depois subo para o meu quarto. Já me esqueci da moça que me abordou do lado de fora. Não lembro o seu nome e, se tornasse a encontrá-la agora, seria incapaz de reconhecê-la. Mas algo tinha me deixado levemente incomodado. Seus olhos refletiam amor e morte ao mesmo tempo.

Fico completamente nu, abro o chuveiro e entro debaixo da água – um dos meus rituais favoritos.

Coloco a cabeça de tal maneira que a única coisa que posso escutar é o barulho da água nos meus ouvidos; isso me afasta de tudo. Sou transportado para um mundo diferente por causa daquele ruído. Como um maestro prestando atenção em cada instrumento da orquestra, começo a distinguir cada som, que se transforma em palavras que não posso compreender, mas que sei que existem.

O cansaço, a ansiedade, a desorientação de estar mudando tanto de país – tudo isso desaparece. Cada dia que passa vejo que a longa viagem está surtindo o efeito desejado. J. tinha razão, eu estava me deixando envenenar lentamente pela rotina: os banhos eram apenas para limpar a pele, as refeições serviam para alimentar meu corpo, as caminhadas não tinham outro objetivo senão evitar problemas de coração no futuro.

Agora as coisas vão mudando; imperceptivelmente, mas vão mudando. As refeições são momentos em que posso reverenciar a presença e os ensinamentos dos amigos, as caminhadas voltaram a ser uma meditação sobre o momento presente, e o barulho da água nos meus ouvidos silencia meu pensamento, me tranquiliza e me faz redescobrir que são os pequenos gestos cotidianos que nos aproximam de Deus – desde que eu saiba dar a cada um deles o valor que merece.

Quando J. me disse: "Saia do conforto e vá em busca do seu reino", eu me senti traído, confuso, abandonado. Esperava uma solução ou uma resposta às minhas dúvidas, algo que me confortasse e me deixasse de novo em paz com minha alma. Todos que se lançam em busca do seu reino sabem que não vão encontrar nada disso – apenas desafios, longos períodos de espera, mudanças inesperadas, ou, o que é pior, talvez não encontrem nada.

Estou exagerando. Se buscamos alguma coisa, essa coisa também está nos buscando.

Mesmo assim, é preciso estar preparado para tudo. Neste momento tomo a decisão que faltava: se não encontrar nada na viagem de trem, seguirei em frente – porque desde aquele dia no hotel em Londres entendi que minhas raízes estavam prontas, mas a alma morria aos poucos por causa de uma coisa muito difícil de detectar e ainda mais difícil de curar.

A rotina.

A rotina não tem nada a ver com a repetição. Para atingir a excelência em qualquer coisa na vida, é preciso repetir e treinar.

Treinar e repetir, aprender a técnica de tal maneira que ela se torne intuitiva. Aprendi isso ainda na infância, em uma cidade do interior do Brasil, onde minha família ia passar as férias de verão. Eu era fascinado pelo trabalho de um ferreiro que morava perto: sentava e ficava, pelo que parecia ser uma eternidade, olhando seu martelo descer sobre o aço quente, espalhando fagulhas ao redor, como fogos de artifício. Uma vez ele me perguntou:

– Você acha que estou sempre fazendo a mesma coisa?

Eu disse que sim.

– Está errado. Cada vez que desço o martelo, a intensidade do golpe é diferente, às vezes mais dura, às vezes mais suave. Mas só aprendi isso depois de repetir este gesto por muitos anos. Até chegar o momento em que não penso – deixo que a mão guie o meu trabalho.

Nunca me esqueci daquela frase.

DIVIDINDO ALMAS

OLHO CADA UM DE MEUS LEITORES, ESTENDO a mão, agradeço por estarem ali. Meu corpo pode estar peregrinando, mas quando minha alma voa de um lugar para outro nunca estou sozinho: sou as muitas pessoas que conheci e que entenderam minha alma através dos livros. Não sou um estrangeiro aqui em Moscou, como tampouco fui em Londres, Sófia, Túnis, Kiev, Santiago de Compostela, Guimarães e todas as cidades em que estive durante este mês e meio.

Escuto uma discussão insistente atrás de mim; procuro me concentrar no que estou fazendo. A discussão, porém, não dá sinais de arrefecer. Finalmente me viro para trás e pergunto ao editor o que está acontecendo.

– Aquela menina de ontem. Ela diz que quer ficar aqui perto de qualquer jeito.

Não me lembro da menina de ontem. Mas peço que façam qualquer coisa para parar a discussão. Continuo assinando os livros.

Alguém se senta perto de mim, um dos seguranças da livraria vem retirar a pessoa e de novo uma discussão começa. Eu paro o que estou fazendo.

Ao meu lado, está a moça cujos olhos revelam amor e morte. Pela primeira vez reparo nela: cabelos negros, entre 22 e 29 anos (sou péssimo para calcular idades), casaco de couro surrado, calça jeans, tênis.

– Já vimos o que tem dentro da mochila – diz o segurança.

– Não há problema. Mas ela não pode ficar aqui.

Ela apenas sorri. Um leitor diante de mim aguarda o final da conversa para que eu possa assinar seus livros. Entendo que a moça não irá sair dali de jeito nenhum.

– Hilal, lembra? Vim acender o fogo sagrado.

Digo que lembro, o que é mentira. As pessoas na fila começam a demonstrar impaciência, o leitor diante de mim fala algo em russo para ela e, pelo tom de sua voz, noto que não foi nada agradável.

Em português existe um famoso provérbio: "O que não tem remédio remediado está." Como não tenho tempo para discussões agora e preciso tomar uma decisão rápida, peço apenas que se afaste um pouco de modo que eu possa ter alguma intimidade com as pessoas que estão ali. Ela obedece, se levanta e fica discretamente em pé, a uma distância razoável.

Segundos depois já me esqueci de sua existência e estou de novo concentrado no que faço. Todos me agradecem, eu agradeço de volta e aquelas quatro horas se passam como se eu estivesse no paraíso. A cada hora saio para fumar um cigarro, mas não estou cansado de maneira nenhuma. Sempre que termino uma tarde de autógrafos parece que recarreguei minhas baterias e que minha energia está mais alta que nunca.

No final, peço uma salva de palmas pela excelente organização. É hora de seguir para o próximo compromisso. A moça cuja existência eu já havia esquecido dirige-se de novo a mim.

– Tenho algo importante para lhe mostrar.

– Vai ser impossível – respondo. – Tenho um jantar.

– Não vai ser impossível – responde. – Sou Hilal, aquela que ontem o esperava na porta do hotel. E posso lhe mostrar o que quero aqui e agora, enquanto você se prepara para sair.

Antes que eu possa reagir, ela tira da mochila um violino e começa a tocar.

Os leitores que já estavam se afastando voltam para aquele concerto inesperado. Hilal toca de olhos fechados, como se estivesse em transe. Olho para o arco que se move de um lado para outro, tocando as cordas em apenas um pequeno ponto e fazendo com que as notas de uma música que nunca ouvi comecem a me dizer algo que não apenas eu, mas todos ali precisamos escutar. Há momentos de pausa, momentos de êxtase, momentos em que seu corpo inteiro baila junto com o instrumento, mas na maior parte do tempo apenas seu tronco e suas mãos se movem.

Cada nota deixa em cada um de nós uma lembrança, mas é a melodia inteira que conta uma história. A história de alguém que queria se aproximar de outra pessoa, que foi rejeitado uma série de vezes e mesmo assim continuou insistindo. Enquanto Hilal toca, lembro-me dos muitos momentos em que a ajuda veio justamente daquelas pessoas que eu achava que nada iam acrescentar à minha vida.

Quando ela termina de tocar, não há aplausos, nada – apenas um silêncio quase palpável.

– Obrigado – digo.

– Dividi um pouco da minha alma, mas ainda falta muito para que eu cumpra minha missão. Posso ir com você?

Geralmente tenho duas reações diante de gente que insiste muito. Ou me afasto imediatamente, ou meu deixo fascinar por completo. Não posso dizer a ninguém que os sonhos são impossíveis. Nem todos têm a força de Mônica naquele bar na Catalunha, e, se eu conseguir convencer uma só pessoa a parar de lutar por algo que tem certeza de que vale a pena, terminarei também por convencer a mim mesmo – e toda a minha vida perderá com isso.

Tinha sido um dia gratificante. Telefono para o embaixador e pergunto se é possível incluir mais um convidado para o jantar. Gentilmente ele diz que meus leitores me representam.

★ ★ ★

EMBORA O AMBIENTE SEJA FORMAL, o embaixador do Brasil na Rússia consegue deixar todos os presentes à vontade. Hilal apareceu com um vestido que eu considero no mínimo de péssimo gosto – cheio de cores, contrastando com a sobriedade dos outros convidados. Sem saber exatamente onde colocar a convidada de última hora, os organizadores acabam escolhendo o lugar de honra, ao lado do anfitrião.

Antes de nos dirigirmos à mesa, meu melhor amigo russo, um industrial, me explica que teremos problemas com a subagente, que passou todo o coquetel que antecede o jantar discutindo com o marido ao telefone.

– Sobre o quê, exatamente?

– Parece que você tinha ficado de ir até o clube onde ele é gerente e terminou cancelando.

Realmente na minha agenda havia algo como "discutir o menu da viagem pela Sibéria", o que era a menor e mais irrelevante das minhas preocupações naquela tarde em que só tinha recebido energias positivas. Cancelei o encontro que me pareceu surrealista; jamais discuti menus em toda a minha vida. Preferi voltar para o hotel, tomar um banho e de novo sentir o barulho da água me levando a lugares que não sei explicar nem sequer para mim mesmo.

Os pratos são servidos, as conversas paralelas se desenvolvem naturalmente na mesa e, em um dado momento, a embaixatriz gentilmente pergunta quem é Hilal.

– Nasci na Turquia e vim estudar violino em Ekaterinburg

aos 12 anos. A senhora tem ideia de como os músicos são selecionados?

Não. As conversas paralelas parecem ter diminuído. Talvez todos estejam interessados naquela menina inconveniente com seu vestido horrível.

– Qualquer criança que começa a tocar um instrumento pratica determinado número de horas por semana. Nesse estágio, todas são capazes de fazer parte de uma orquestra um dia. Entretanto, à medida que vão crescendo, algumas começam a praticar mais do que outras. Finalmente, um pequeno grupo se destaca, porque está tocando quase 40 horas por semana. Sempre acontece de emissários de grandes orquestras visitarem as escolas de música em busca de novos talentos, que são convidados a se tornarem profissionais. Foi o meu caso.

– Pelo visto, você encontrou sua vocação – diz o embaixador. – Nem todos têm essa oportunidade.

– Não foi bem minha vocação. Passei a tocar muitas horas por semana porque fui violada quando tinha 10 anos.

A conversa na mesa para por completo. O embaixador tenta mudar de assunto e comenta que o Brasil está negociando com a Rússia sobre exportação e importação de maquinaria pesada. Mas ninguém, absolutamente ninguém ali, está interessado na balança comercial do meu país. Cabe a mim retomar o fio da história.

– Hilal, se você não se incomodar, acho que todos estão muito interessados nesta relação entre uma menina violada e uma virtuose do violino.

– O que significa seu nome? – pergunta a embaixatriz, numa desesperada tentativa de mudar definitivamente o rumo da conversa.

– Em turco significa lua nova. É o desenho que está na bandeira do meu país. Meu pai era um nacionalista radical. Por acaso, é um nome mais apropriado para homens do que para mulheres. Parece que em árabe tem outro significado, mas não conheço direito.

Eu não me dou por vencido:

– Mas, voltando ao assunto, você se importa de nos contar? Estamos em família.

Em família? Grande parte daquelas pessoas tinha se conhecido durante o jantar.

Todos parecem ocupadíssimos com seus pratos, talheres e copos, fingindo que estão concentrados na comida, mas loucos para escutar o resto da história. Hilal responde como se estivesse falando a coisa mais natural do mundo:

– Foi um vizinho, um senhor que todos consideravam gentil, prestativo, a melhor pessoa para os momentos difíceis. Bem casado, pai de duas filhas da minha idade. Sempre que eu ia à sua casa para brincar com as meninas ele me sentava no colo e me contava lindas histórias. Mas, enquanto fazia isso, sua mão passeava por meu corpo, o que no início entendi ser apenas uma demonstração de carinho. À medida que o tempo passava, ele começou a tocar meu sexo, pedir que eu tocasse o dele, coisas desse tipo.

Olha para as outras cinco mulheres na mesa e diz:

– Acho que não é tão raro assim, infelizmente. Concordam?

Nenhuma responde. Meu instinto me diz que pelo menos uma ou duas já experimentaram a mesma coisa.

– Enfim, o problema não foi só esse. O pior foi que eu comecei a gostar daquilo, mesmo sabendo que era errado. Até que um dia resolvi nunca mais voltar ali, embora meus pais insistissem que deveria brincar mais com as filhas do meu vizinho. Na época eu estava aprendendo violino e expliquei que não ia bem nas aulas e precisava praticar mais. Passei a tocar de maneira compulsiva, desesperada.

Ninguém se mexe, ninguém sabe exatamente o que dizer.

– E como carregava essa culpa dentro de mim, porque as víitimas terminam se julgando os carrascos, resolvi me punir até agora. Desde que me entendo por mulher, passei a buscar, em todas as minhas relações com homens, o sofrimento, o conflito, o desespero.

Olha fixamente para mim. A mesa inteira percebe.

– Mas isso agora vai mudar, não é verdade?

Eu, que até aquele momento estava dirigindo a situação, perco o controle. Tudo o que faço é murmurar "espero que sim" e mudar subitamente a conversa para o belo prédio onde está localizada a Embaixada do Brasil na Rússia.

★   ★   ★

NA SAÍDA PERGUNTO ONDE HILAL ESTÁ hospedada e procuro saber com meu amigo industrial se ele se incomoda de levá-la em casa antes de me deixar no hotel. Ele concorda.

– Obrigado pelo violino. Obrigado por ter dividido sua história com gente que jamais viu na sua vida. A cada manhã, quando sua mente ainda estiver vazia, dedique um pouco de tempo ao Divino. O ar contém uma força cósmica que cada cultura chama de maneira diferente, mas isso não tem importância. O importante é fazer o que estou dizendo agora. Inspire fundo e peça que todas as bênçãos que estão no ar entrem no seu corpo e se espalhem por cada célula. Expire lentamente, projetando muita alegria e muita paz ao seu redor. Repita dez vezes a mesma coisa. Você estará curando a si mesma e contribuindo para curar o mundo.

– O que quer dizer com isso?

– Nada. Faça o exercício. Irá apagar pouco a pouco aquilo que sente a respeito do amor. Não se deixe destruir por uma força que foi colocada em nossos corações para melhorar tudo.

Inspire sugando o que existe nos céus e na terra. Expire espalhando beleza e fecundidade. Acredite em mim, dará resultado.

– Mas eu não vim até aqui para aprender um exercício que posso encontrar em qualquer livro de ioga – diz Hilal, com irritação.

Moscou desfilava do lado de fora. Na verdade eu gostaria mesmo é de andar por aquelas ruas, tomar um café, mas o dia tinha sido longo e eu precisava acordar cedo no dia seguinte para uma série de compromissos.

– Então irei com você, não é verdade?

Não é possível! Será que ela não consegue falar de outra coisa? Eu a conheci há pouco mais de 24 horas – se é que podemos chamar "conhecer" um contato tão fora do comum como aquele. Meu amigo ri. Eu procuro ser mais sério.

– Veja bem: já trouxe você ao jantar do embaixador. Não estou fazendo esta viagem para promover meus livros, mas...

Hesito um pouco.

– ... por uma questão pessoal.

– Eu sei disso.

Da maneira como pronunciou a frase, tive a impressão de que realmente sabia. Mas preferi não acreditar nos meus instintos.

– Já fiz muitos homens sofrerem e já sofri muito – continua Hilal. – A luz do amor sai da minha alma, mas não tem como ir adiante: é bloqueada pela dor. Por mais que inspire e expire todas as manhãs pelo resto da minha vida, não vou conseguir resolver isso. Tentei expressar esse amor através do violino, mas tampouco basta. Eu sei que você pode me curar e que posso curar o que você sente. Eu acendi o fogo na montanha ao lado, você pode contar comigo.

Por que ela dizia isso?

– Aquilo que nos fere é aquilo que nos cura – continua. – A vida tem sido muito dura comigo, mas ao mesmo tempo tem me ensinado muita coisa. Mesmo que você não esteja vendo, meu corpo está em chagas, as feridas abertas sangrando o tempo todo. Acordo cada manhã com vontade de morrer antes que o dia acabe, mas continuo viva, sofrendo e lutando, lutando e sofrendo, apegando-me à certeza de que tudo isso vai terminar um dia. Por favor, não me deixe sozinha aqui. Esta viagem é minha salvação.

Meu amigo freia o carro, coloca a mão no bolso e dá todo o seu dinheiro a Hilal.

– O trem não é dele – diz. – Tome, acho que é mais do que suficiente para um bilhete de segunda classe e para fazer três refeições por dia.

E virando-se para mim:

– Você sabe o momento que estou passando. A mulher que eu amava morreu, e, por mais que inspire e expire o resto da minha vida, não vou mais conseguir ser feliz. Minhas feridas estão abertas, meu corpo está em chagas. Entendo perfeitamente o que essa menina está dizendo. Sei que você está fazendo esta viagem por alguma razão que desconheço, mas não a deixe assim. Se você acredita nas palavras que escreve, permita que as pessoas à sua volta cresçam junto com você.

– Perfeito, o trem não é meu. Saiba que estarei sempre cercado de gente e que raramente teremos tempo para conversar.

Meu amigo arranca de novo com o carro e dirige em silêncio por mais 15 minutos. Chegamos a uma rua com uma praça arborizada. Ela explica onde ele deve estacionar, salta, se despede do meu amigo. Eu saio do carro e a acompanho até a porta do edifício onde está hospedada na casa de amigos.

Ela me dá um rápido beijo na boca.

– Seu amigo está enganado, mas, se eu demonstrasse alegria, ele ia pedir o dinheiro de volta – diz, sorrindo. – Não estou sofrendo tanto quanto ele. Aliás, nunca fui tão feliz como agora, porque segui os sinais, tive paciência e sei que isso irá mudar tudo.

Vira-se e entra.

Só naquele momento, caminhando de volta para o carro, olhando meu amigo que saiu para fumar um cigarro e está sorrindo porque viu o beijo, escutando o vento que sopra nas árvores renovadas pela força da primavera, consciente de que estou em uma cidade que amo sem conhecer muito bem, procurando um cigarro em meu bolso, pensando que amanhã começo uma aventura que sonhei há tanto tempo, só neste momento...

... só neste momento me volta à memória a previsão feita pelo vidente que encontrei na casa de Veronique. Ele falava algo sobre a Turquia, mas não consigo lembrar exatamente o quê.

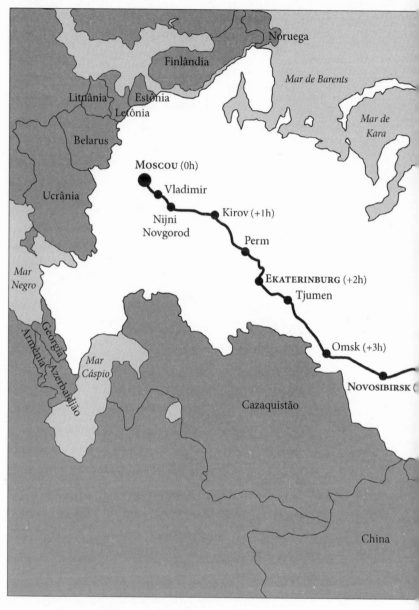

Oceano
cial Ártico

Mar Siberiano
Oriental

Mar de Bering

LINHA TRANSIBERIANA

FEDERAÇÃO RUSSA

Mar de Okhotsk

SIBÉRIA

yarsk
Tayshet

Lago
Baikal

Birobdjan

Khabarovsk

Tchita (+6h)

SK (+5h)

Ulan-Ude

VLADIVOSTOK (+7h)

Mongólia

Mar do
Japão

Japão

Coreia do Norte

Mar da
China Oriental

s números entre parênteses referem-se à diferença de fuso horário entre as cidades, tomando como referência Moscou.

9.288

A Transiberiana é uma das três maiores ferrovias do mundo. Começa em qualquer estação da Europa, mas a parte russa tem 9.288 quilômetros, ligando centenas de pequenas e grandes cidades, cortando 76% do país e atravessando sete diferentes fusos horários. No momento em que entro na estação de trem em Moscou, às onze da noite, o dia já raiou em Vladivostok, seu ponto final.

Até o fim do século XIX, poucos se aventuravam a viajar para a Sibéria, onde foi registrada a temperatura mais baixa do planeta: -71,2°C, na cidade de Oymyakon. Os rios que uniam a região ao resto do mundo eram o principal meio de transporte, mas ficavam congelados oito meses por ano. A população da Ásia Central vivia praticamente isolada, embora ali se concentrasse boa parte da riqueza natural do então Império Russo. Por razões estratégicas e políticas, o tsar Alexandre II aprovou sua construção, cujo preço final só foi superado pelo orçamento militar do Império Russo durante toda a Primeira Guerra Mundial.

Logo depois da Revolução Comunista de 1917, a ferrovia serviu como centro de grandes batalhas da guerra civil que estourou. As forças leais ao imperador deposto, notadamente a Legião Tchecoslovaca, usavam vagões blindados que serviam como tanques sobre trilhos e assim podiam rechaçar sem maiores problemas as ofensivas do Exército Vermelho, enquanto eram abastecidas com munição e mantimentos vindos do Leste. Foi quando entraram em ação os sabotadores, explodindo pontes e cortando as comunicações. O exército imperial começou a recuar até o final do continente asiático e grande parte cruzou em direção ao Canadá, para em seguida espalhar-se por outros países do mundo.

No momento em que entrei na estação de Moscou, o preço de um bilhete da Europa até o oceano Pacífico em uma cabine dividida com outras três pessoas variava entre 30 e 60 euros.

★ ★ ★

Fui até o painel com o horário de trens e CLICK! A primeira foto marcando a partida para as 23h15! Meu coração estava disparado, como se estivesse de novo na minha casa de infância, com o trem elétrico girando em torno do quarto e minha cabeça viajando para lugares distantes, tão distantes como aquele em que me encontrava agora.

Minha conversa com J. em Saint Martin, que ocorrera havia pouco mais de três meses, parecia ter acontecido em uma encarnação anterior. Que perguntas idiotas eu fiz na ocasião! Qual o sentido da vida? Por que não estou progredindo? Qual a razão de ver o mundo espiritual se distanciando cada vez mais? A resposta não podia ser mais simples: porque eu não estava mais vivendo!

Como era bom voltar a ser criança, sentir o sangue correndo nas veias e os olhos brilhando, entusiasmar-me com a visão de uma plataforma cheia de gente, cheirando a óleo e comida, escutar o barulho do freio de outros trens que chegavam, o ruído agudo dos carros de bagagem e dos apitos.

Viver é experimentar, e não ficar pensando no sentido da

vida. É evidente que nem todas as pessoas precisam cruzar a Ásia ou andar pelo Caminho de Santiago. Conheci um abade na Áustria que quase nunca saía do mosteiro de Melk e, mesmo assim, entendia o mundo muito melhor do que muitos viajantes que encontrei. Tenho um amigo que experimentou grandes revelações espirituais enquanto olhava os filhos dormir. Minha mulher, quando começa a pintar um novo quadro, entra em uma espécie de transe e conversa com seu anjo da guarda.

Mas nasci peregrino. Mesmo quando sinto uma imensa preguiça, ou saudades de casa, depois que dou o primeiro passo sou arrebatado pelo sentido da viagem. Na estação de Yaroslavl, caminhando em direção à plataforma 5, me dou conta de que jamais poderei chegar aonde quero se ficar o tempo todo no mesmo lugar. Só consigo conversar com minha alma quando estamos nos desertos, nas cidades, nas montanhas, nas estradas.

Nosso vagão é o último da composição; será encaixado e separado do trem quando pararmos em algumas cidades pelo caminho. De onde estou, não consigo enxergar a locomotiva – apenas aquela gigantesca serpente de aço, com mongóis, tártaros, russos, chineses, alguns deles sentados em malas imensas, todos nós esperando que as portas se abram. As pessoas vêm conversar, mas eu me afasto, não quero pensar em mais nada, a não ser que estou aqui, agora, pronto para mais uma partida, um novo desafio.

★   ★   ★

O MOMENTO DE ÊXTASE INFANTIL DEVE ter durado apenas cinco minutos, mas absorvi cada detalhe, cada ruído, cada cheiro. Não conseguirei me lembrar de nada depois, mas não tem importância: o tempo não é uma fita cassete, que podemos mover para a frente ou para trás.

"Esqueça que irá contar isso aos outros. O tempo é aqui. Aproveite."

Chego perto do grupo e vejo que todos também estão muito excitados. Sou apresentado ao tradutor que irá me acompanhar: chama-se Yao, nascido na China, refugiado no Brasil ainda criança durante a guerra civil em seu país. Com estudos superiores no Japão, ele é um professor de línguas aposentado da Universidade de Moscou. Deve ter uns 70 anos, é alto e o único do grupo a estar impecavelmente vestido de terno e gravata.

– Meu nome quer dizer "muito distante" – ele diz, quebrando o gelo.

– Meu nome quer dizer "pequena pedra"– eu respondo sorrindo. Na verdade, estou com esse sorriso pregado no rosto desde a noite anterior, quando mal consegui dormir pensando na aventura do dia seguinte. Meu humor não pode estar melhor.

A onipresente Hilal está perto do vagão que vou ocupar, embora sua cabine deva estar muito distante. Não foi surpresa encontrá-la ali – eu imaginava que isso ia acontecer. Mando um beijo a distância, e ela retribui com um sorriso nos lábios. Em algum momento da viagem tenho certeza de que será ótimo conversarmos um pouco.

Estou quieto, atento a cada detalhe ao meu redor, como um navegador partindo em busca do *Mare Ignotum*. O tradutor respeita meu silêncio. Mas noto que alguma coisa está acontecendo – os editores parecem preocupados. Peço a ele que me diga o que é.

Ele me explica que a pessoa que me representava na Rússia não apareceu. Lembro-me da conversa com meu amigo no dia anterior, mas que importância tem isso? Se não apareceu, o problema é dela.

Vejo que Hilal disse alguma coisa para uma pessoa da editora, e a resposta foi brusca. Mas Hilal não perde a pose – como não perdeu das outras vezes em que eu disse que não podíamos nos encontrar. Cada vez gosto mais de sua presença, sua determinação, sua postura. As duas mulheres começam a discutir.

De novo pergunto ao tradutor o que está acontecendo, ele me explica que a editora pediu que ela voltasse ao seu vagão. Batalha perdida, penso comigo mesmo – aquela garota só vai fazer o que decidir. Divirto-me com as únicas coisas que posso entender: a entonação verbal e a linguagem dos corpos. Quando julgo que é o suficiente, me aproximo, ainda sorrindo.

– Não vamos colocar uma vibração negativa agora. Todos estamos contentes e excitados, não é verdade? Nenhum de vocês fez antes esta viagem.

– Ela quer...

– Deixa. Mais tarde ela irá para o seu vagão.

A editora não insiste mais.

As portas são abertas com um ruído que ecoa por toda a plataforma, e as pessoas começam a se mexer. Quem está entrando nos vagões naquele momento? O que aquela viagem significa para cada passageiro? Um reencontro com a pessoa amada, uma visita à família, a busca de um sonho de riqueza, uma volta vitoriosa ou de cabeça baixa, um descobrimento, uma aventura, uma necessidade de fugir ou de encontrar. O trem vai se enchendo de possibilidades reais.

Hilal pega suas malas – na verdade a mochila e uma bolsa colorida – e se prepara para subir conosco os degraus. A editora sorri como se estivesse satisfeita com o final da discussão, mas eu sei que na primeira oportunidade irá se vingar. Não vale a pena explicar que na vingança o máximo que pode acontecer é nos igualarmos aos nossos inimigos, enquanto no perdão mostramos mais sabedoria e inteligência. Exceto pelos monges nos Himalaias e os santos nos desertos, acho que todos nós temos esses sentimentos porque são parte essencial da condição humana. Não devemos ser julgados por isso.

★ ★ ★

Nosso vagão é composto por quatro cabines, banheiros, uma pequena sala onde imagino que passaremos a maior parte do tempo e uma cozinha.

Vou até o meu quarto: cama de casal, armário, a mesa com cadeira voltada para a janela, uma porta que dá para um dos banheiros. Noto que no final existe outra porta. Vou até lá, abro e vejo que dá para um quarto vazio. Pelo que entendo, os dois quartos compartilham o mesmo banheiro.

Sim, a representante que não veio. Mas que importância tem isso?

Soa o apito. O trem começa a movimentar-se lentamente. Todos corremos para a janela da pequena sala e damos adeus para gente que nunca vimos antes, olhamos a plataforma ficando para trás, as luzes passando com velocidade crescente, os trilhos surgindo, os cabos elétricos mal iluminados. Me impressiona o completo silêncio das pessoas; nenhum de nós quer conversar, estamos todos sonhando com o que pode acontecer, estou absolutamente convencido de que ninguém está pensando no que deixou para trás, mas no que encontrará adiante.

Quando os trilhos desaparecem na noite fechada, nos sentamos em torno da mesa. Embora em cima dela haja uma cesta de frutas, já havíamos jantado em Moscou e a única coisa que realmente desperta o interesse geral é uma reluzente garrafa de vodca, que é aberta imediatamente. Bebemos e conversamos sobre tudo, menos sobre a viagem – porque ela é o presente, e não as lembranças do passado. Bebemos mais e começamos a falar um pouco do que cada um espera dos próximos dias. Tornamos a beber e agora uma alegria geral contagia o ambiente. Viramos todos amigos de infância.

O tradutor me conta um pouco sobre sua vida e suas paixões: literatura, viagens, artes marciais. Por acaso aprendi Aikido quando era jovem; ele diz que, se em algum momento de tédio não tivermos sobre o que conversar, podemos treinar um pouco no exíguo corredor ao lado das cabines.

Hilal conversa com a editora que não queria deixá-la entrar. Sei que ambas estão se esforçando para superar os mal-entendidos, mas sei também que amanhã é outro dia, o confinamento em um mesmo espaço termina por exacerbar os conflitos e em breve estaremos diante de outra discussão. Espero que demore muito.

O tradutor parece ler meus pensamentos. Serve vodca para todos e fala de como os conflitos são encarados no Aikido:

– Não é exatamente uma luta. Sempre tentamos acalmar o espírito e buscar a fonte de onde tudo nasce, removendo qualquer vestígio de maldade ou egoísmo. Se você ficar muito preocupado em descobrir o que há de bom ou de mau em seu próximo, irá se esquecer de sua própria alma e será exaurido e derrotado pela energia que gastou ao julgar os outros.

Ninguém parece estar muito interessado no que uma pessoa de 70 anos tem a dizer. A alegria inicial provocada pela vodca dá lugar a um cansaço coletivo. Em dado momento vou ao banheiro e, quando volto, a sala está completamente vazia.

Exceto por Hilal, claro.

– Onde está todo mundo? – pergunto.

– Esperavam, por educação, que você se ausentasse. Foram dormir.

– Então vá dormir também.

– Mas eu sei que existe uma cabine vazia...

Eu pego a mochila e a sacola, seguro-a delicadamente pelo braço e a acompanho até a porta do vagão.

– Não abuse da sua sorte. Boa noite.

Ela me olha, não diz nada e segue em direção à sua cabine, que não tenho a menor ideia de onde possa estar.

Vou até meu quarto e a excitação dá lugar a um cansaço imenso. Coloco o computador na mesa, meus santos – que sempre me acompanham – ao lado da cama e vou ao banheiro para escovar os dentes. Me dou conta de que é uma tarefa muito mais difícil do que imaginava: o balanço do trem faz com que o copo de água mineral que tenho comigo se transforme em algo dificílimo de equilibrar. Depois de várias tentativas, finalmente consigo atingir meu objetivo.

Coloco minha camiseta de dormir, fumo um cigarro, apago a luz, fecho os olhos, imagino que aquele balanço deve ser parecido com o ventre materno e que terei uma noite abençoada pelos anjos.

Doce ilusão.

OS OLHOS DE HILAL

QUANDO FINALMENTE RAIA O DIA, LEVANTO-ME, troco a roupa e vou para a sala. Ali já estão todos – inclusive Hilal.

– Você precisa escrever uma permissão para que eu possa voltar aqui – diz ela, antes mesmo de me desejar um bom-dia. – Hoje foi um sacrifício chegar aqui, e os fiscais de cada vagão disseram que só me deixam passar se...

Eu ignoro suas palavras e cumprimento os outros. Pergunto se passaram bem a noite.

– Não – é a resposta coletiva.

Pelo visto, não foi só comigo.

– Eu dormi muito bem – continua Hilal, sem saber que está provocando a ira coletiva. – Meu vagão está no centro do trem e joga muito menos que este. Este é o pior vagão para se viajar.

O editor ia dizer qualquer coisa grosseira, mas pelo visto controlou-se. Sua mulher olha para a janela e acende um cigarro, para disfarçar a irritação. A outra editora faz uma cara cuja mensagem está clara para todos: "Eu não disse que essa menina era inconveniente?"

– Vou colocar todos os dias uma reflexão no espelho – diz Yao, que também parece ter dormido muito bem.

Levanta-se, vai até o espelho que existe na sala e prega um papel onde está escrito:

"Quem deseja ver o arco-íris precisa aprender a gostar da chuva."

Ninguém se entusiasma muito com a frase otimista. Não é necessário ter o dom da telepatia para saber o que se passa na cabeça de cada uma daquelas pessoas: "Meu Deus, será que isso vai durar 9.000 quilômetros?"

– Tenho uma foto no meu celular que quero mostrar – continua Hilal. – E trouxe meu violino comigo, caso desejem ouvir música.

Já estamos escutando música vinda do rádio que está na cozinha. A pressão na cabine começa a aumentar; em breve alguém vai ser realmente agressivo e eu não terei mais como controlar a situação.

– Por favor, deixe que tomemos café em paz. Você está convidada, se quiser. Depois vou tentar dormir. E mais tarde vejo sua foto.

Ruído de trovão: um trem passa ao lado, indo na direção contrária. Aquilo tinha acontecido a noite inteira com uma regularidade alucinante. E o balanço do vagão, em vez de me lembrar a carinhosa mão balançando o berço, parecia mais os movimentos de um barman preparando um dry martíni. Estou fisicamente mal e com um imenso sentimento de culpa por ter feito todas aquelas pessoas embarcarem em minha aventura. Começo a entender por que o famoso brinquedo do parque de diversões se chama montanha-russa.

Hilal e o tradutor tentam várias vezes iniciar uma conversa, mas nenhuma pessoa naquela mesa – os dois editores, a mulher do editor, o escritor que teve a ideia original – leva os assuntos adiante. Tomamos nosso café da manhã em silêncio; do lado de fora da janela, a paisagem se repete constantemente – pequenas cidades, florestas, pequenas cidades, florestas.

– Quanto tempo falta até Ekaterinburg? – pergunta o editor a Yao.

– Chegaremos nesta madrugada.

Suspiro geral de alívio. Talvez possamos mudar de ideia e dizer que já bastou como experiência. Não é preciso subir uma montanha para saber que ela é alta; não é preciso chegar a Vladivostok para dizer que se viajou na Transiberiana.

– Bem, vou tentar dormir de novo.

Levanto-me. Hilal se levanta comigo.

– E o papel? E a foto no celular?

Papel? Ah, sim, a permissão para que pudesse voltar ao nosso vagão. Antes que eu possa dizer alguma coisa, Yao escreve algo em russo e pede que eu assine. Todos no vagão – eu inclusive – o olhamos com fúria.

– Acrescente, por favor: apenas uma vez por dia.

Yao faz o que peço, levanta-se e diz que irá até um dos inspetores do trem para pedir que carimbem a declaração.

– E a foto no celular?

A esta altura eu aceito tudo, desde que possa voltar para o meu quarto. Mas não quero mais aborrecer aqueles que me convidaram para esta viagem. Peço que Hilal me acompanhe até o final do vagão. Abrimos a primeira porta, damos em um cubículo onde estão as portas exteriores do trem e uma terceira que leva ao vagão anterior. O ruído ali é insuportável porque, além do atrito das rodas nos trilhos, há o ranger das plataformas que permitem passar de um carro para o outro.

Hilal mostra a foto no celular, possivelmente tirada logo depois do amanhecer. Uma nuvem comprida no céu.

– E então? Está vendo?

Sim, estou vendo uma nuvem.

– Estamos sendo acompanhados.

Estamos sendo acompanhados por uma nuvem que a esta altura já deve ter desaparecido por completo. Eu continuo concordando com qualquer coisa, desde que aquela conversa acabe logo.

– Tem razão. Depois falamos sobre isso. Agora volte para sua cabine.

– Não posso. Você só me deu permissão para vir aqui uma vez por dia.

O cansaço não me deixara raciocinar direito, e eu não me dera conta de que acabara de criar um monstro. Se ela vier uma vez por dia, chegará de manhã e só nos deixará de noite. Mais tarde me encarregarei de corrigir o erro.

– Escute bem: também sou convidado para esta viagem. Adoraria ter sua companhia o tempo todo, você está sempre cheia de energia, jamais aceita um "não" como resposta, mas acontece...

Os olhos. Verdes, sem qualquer maquiagem em volta.

– ... acontece que...

Talvez seja mesmo a exaustão. Mais de 24 horas sem dormir e perdemos quase todas as nossas defesas; estou nesse estado. Aquele cubículo sem nenhum móvel, feito apenas de vidro e aço, começa a ficar difuso. O barulho começa a diminuir, a concentração desaparece, eu já não tenho plena consciência de quem sou e em que lugar estou agora. Faço um esforço, mas não consigo pensar direito. Sei que estou pedindo que ela se comporte, que volte para onde veio, mas o que está saindo de minha boca não tem qualquer relação com o que estou vendo.

Estou olhando para a luz, para um lugar sagrado, e uma onda vem em minha direção, me enchendo de paz e amor, embora essas duas coisas quase nunca andem juntas. Estou vendo a mim mesmo, mas ao mesmo tempo ali estão os elefantes com trombas erguidas na África, os camelos no deserto, as pessoas conversando em um bar de Buenos Aires, um cachorro que atravessa a rua, o pincel que se move nas mãos de uma mulher que está prestes a terminar um quadro com uma rosa, neve se derretendo em uma montanha na Suíça, monges entoando cânticos exóticos, um peregrino chegando diante da igreja de Santiago, um pastor com suas ovelhas, soldados que acabam de despertar e se preparam para a guerra, os peixes no oceano, as cidades e as florestas do mundo – tudo tão claro e tão gigantesco, tão pequeno e tão suave.

Estou no Aleph, o ponto onde tudo está no mesmo lugar ao mesmo tempo.

Estou em uma janela olhando para o mundo e seus lugares secretos, a poesia perdida no tempo e as palavras esquecidas no espaço. Aqueles olhos estão me dizendo coisas que nem sequer sabemos que existem mas que estão ali, prontas para serem descobertas e conhecidas apenas pelas almas, não pelos corpos. Frases que são perfeitamente compreendidas ainda que não sejam pronunciadas. Sentimentos que exaltam e sufocam ao mesmo tempo.

Estou diante de portas que se abrem por uma fração de segundo e logo tornam a se fechar, mas que permitem desvelar o que está escondido atrás delas – os tesouros, as armadilhas, os caminhos não percorridos e as viagens jamais imaginadas.

– Por que está me olhando desta maneira? Por que seus olhos estão me mostrando tudo isso?

Não sou em quem está falando, mas a menina, ou mulher, à minha frente. Nossos olhos se transformaram em espelhos de nossa alma – talvez não apenas de nossa alma, mas de todas as almas de todas as criaturas que naquele momento estão caminhando, amando, nascendo e morrendo, sofrendo ou sonhando neste planeta.

– Não sou eu... acontece que...

Não consigo terminar a frase, porque as portas continuam se abrindo e revelando seus segredos. Vejo mentiras e verdades, danças exóticas diante do que parece ser uma imagem de deusa, marinheiros lutando contra o mar violento, um casal sentado em uma praia olhando o mesmo mar, que parece calmo e acolhedor. As portas continuam se abrindo, as portas dos olhos de Hilal, e começo a ver a mim mesmo, como se já nos conhecêssemos há muito, muito tempo...

– O que você está fazendo? – ela me pergunta.

– O Aleph...

As lágrimas da menina, ou mulher, diante de mim parecem querer sair por uma daquelas portas. Alguém disse que as lágrimas são o sangue da alma, e é isso que começo a ver agora, porque entrei em um túnel, estou indo para o passado, onde também ela me espera, as mãos postas como se estivesse rezando a prece mais sagrada que Deus concedeu aos homens. Sim, ela está ali, na minha frente, ajoelhada no chão e sorrindo, dizendo que o amor pode salvar tudo, mas eu olho para minhas roupas, minhas mãos, uma delas tem uma pena...

– Para! – grito.

Hilal fecha os olhos.

De novo estou em um vagão de trem indo para a Sibéria e dali para o oceano Pacífico. Eu me sinto ainda mais cansado do que antes, entendendo perfeitamente o que aconteceu, mas incapaz de conseguir explicar.

Ela me abraça. Eu a abraço e acaricio suavemente seus cabelos.

– Eu sabia – diz ela. – Eu sabia que conhecia você. Eu sabia desde que vi pela primeira vez uma foto sua. É como se tivéssemos que nos encontrar de novo em algum momento desta vida. Comentei com amigos e amigas, que disseram que eu estava delirando, que milhares de pessoas devem dizer a mesma coisa sobre milhares de outras pessoas todos os dias. Eu achei que tinham razão, mas a vida... a vida trouxe você até onde eu estava. Você veio para me encontrar, não é verdade?

Estou aos poucos me recompondo da experiência que acabo de ter. Sim, eu sei do que ela está falando, porque há muitos séculos cruzei uma das portas que vi agora nos seus olhos. Ela estava ali, junto com outras pessoas. Com todo o cuidado, pergunto o que viu.

– Tudo. Acho que jamais conseguirei explicar isso em toda a minha vida. Mas no momento em que fechei os olhos estava em um lugar confortável, seguro, como se fosse... minha casa.

Não, ela não sabe do que está falando. Ela ainda não sabe. Mas eu sei. Torno a pegar suas bagagens e a reconduzo ao salão.

– Não consigo pensar nem conversar. Sente-se aí, leia alguma coisa, deixe-me descansar um pouco e volto logo. Se alguém vier comentar algo, diga que fui eu quem pediu que ficasse.

Ela faz o que peço. Vou para o meu quarto, jogo-me na cama de roupa e tudo e caio em um sono profundo.

Alguém bate na porta.

– Estamos chegando em 10 minutos.

Abro os olhos. Já é de noite. Melhor dizendo, deve ser de madrugada. Dormi o dia inteiro e agora vou ter dificuldades em tornar a adormecer.

– Vão retirar o vagão e deixá-lo na estação, de modo que basta levar o suficiente para duas noites na cidade – continua a voz do lado de fora.

Abro as persianas da janela. Começam a aparecer luzes lá fora, o trem diminui a velocidade, realmente estamos chegando. Lavo o rosto, preparo rapidamente a mochila com o necessário para ficar dois dias em Ekaterinburg. Pouco a pouco a experiência da manhã começa a voltar.

Quando saio, todos já estão de pé no corredor – exceto Hilal, que continua sentada no mesmo lugar em que a havia deixado. Ela não sorri, apenas me mostra um papel.

– Yao me deu a permissão.

Yao me olha e sussurra:

– Você já leu o *Tao*?

Sim, já tinha lido o *Tao Te King*, como quase todo mundo da minha geração.

– Então sabe: *"Gaste suas energias e permanecerá novo."*

Ele faz um gesto imperceptível de cabeça, indicando a moça que ainda está sentada. Acho o comentário de mau gosto.

– Se você está insinuando que...

– Não estou insinuando nada. Se você compreendeu errado é porque isso deve estar na sua cabeça. O que quis dizer, já que não consegue entender as palavras de Lao Tzu, foi: ponha para fora tudo o que está sentindo e irá se renovar. Pelo que posso perceber, ela é a pessoa certa para ajudá-lo.

Será que os dois tinham conversado? Será que, no momento

em que entramos no Aleph, Yao estava passando por ali e viu o que estava acontecendo?

– Você acredita em um mundo espiritual? Em um universo paralelo, onde o tempo e o espaço são eternos e sempre presentes? – pergunto.

Os freios começam a ranger. Yao balança a cabeça, fazendo um sinal afirmativo, mas na verdade entendo que está medindo suas palavras. Finalmente responde:

– Não acredito em Deus como você o imagina. Mas acredito em muitas coisas que você nem sonha. Se amanhã à noite estiver livre, podemos sair juntos.

O trem para. Hilal finalmente se levanta e vem até nós, Yao sorri e a abraça. Todos colocam os casacos. Descemos em Ekaterinburg à 1h04 da madrugada.

A CASA IPATIEV

A ONIPRESENTE HILAL DESAPARECEU.

Desci do quarto pensando em encontrá-la no saguão do hotel, mas ela não está lá. Embora tenha passado o dia anterior praticamente desmaiado na cama, mesmo assim consegui dormir em "terra firme". Telefono para o quarto de Yao e saímos para dar uma volta pela cidade. É exatamente tudo de que preciso agora – caminhar, caminhar e caminhar, respirar ar puro, olhar a cidade desconhecida e senti-la como se fosse minha.

Yao vai me relatando alguns fatos históricos – terceira maior cidade da Rússia, riquezas minerais, coisas do tipo que encontramos em qualquer folheto de turismo –, mas não estou nem um pouco interessado. Paramos diante de um palacete pintado de branco.

– Foi a casa de um homem chamado Nikolai Ipatiev. Vamos entrar um pouco.

Aceito a sugestão porque já estou começando a ficar com frio. Parece um pequeno museu, mas os letreiros estão todos em russo. Descubro uma parede cheia de grafites, também em russo. A única coisa que consigo entender são alguns desenhos, e um deles me chama particularmente a atenção: um monge barbudo parece praticar um ato de sodomia com uma mulher.

Yao me observa, como se eu estivesse entendendo tudo, mas não estou.

– Você não sente nada?

Digo que não. Ele parece decepcionado e insiste:

– Mas você, que acredita em mundos paralelos e na eternidade do momento presente, não está sentindo absolutamente nada?

Fico tentado a contar que foi justamente isso que me trouxe até aquele lugar: minha conversa com J. e meus conflitos internos a respeito da capacidade de me conectar com meu lado espiritual. Só que isso agora já não corresponde mais à verdade. Desde que parti de Londres, sou outra pessoa, caminho em direção ao meu reino e à minha alma, e isso me deixa tranquilo e feliz. Por uma fração de segundo lembro-me do episódio no trem, do olhar de Hilal, e logo procuro afastar aquilo da cabeça.

– Se eu não estou sentindo nada, não quer dizer necessariamente que esteja desconectado. Talvez neste momento minha energia esteja voltada para outro tipo de descoberta. Estamos numa casa antiga e imagino que aqui já deve ter nascido e morrido muita gente. O que aconteceu aqui?

– Aqui acabou o Império. Na noite de 16 para 17 de julho de 1918, a família de Nicolau II, o último tsar de todas as Rússias, foi executada junto com seu médico e três empregados. Começaram pelo próprio tsar, baleado múltiplas vezes na cabeça e no peito. As últimas a morrer foram Anastásia, Tatiana, Olga e Maria, golpeadas por baionetas. Dizem que seus espíritos continuam vagando por estes quartos, procurando as joias que deixaram para trás.

Sim, eu tinha visto filmes e lido histórias a respeito. Pergunto o que significa o grafite do monge na parede. Ele me explica que foi feito por um dos soldados que guardavam a família do tsar e mostra Rasputin tendo relações sexuais com a imperatriz.

– Por que me trouxe até aqui?

Pela primeira vez desde que nos encontramos em Moscou, Yao fica sem jeito.

– Porque ontem você me perguntou se eu acreditava em Deus. Já acreditei, até que ele me separou da pessoa que mais amava no mundo, minha mulher. Sempre pensei que ia partir antes dela, mas não foi isso que aconteceu – conta Yao. – No dia em que nos encontramos, eu tive certeza de que já a conhecia desde que nasci. Chovia muito, ela não aceitou meu convite para um chá, mas eu sabia que já éramos como as nuvens que se juntam nos céus e não se consegue mais dizer onde começa uma e acaba a outra. Um ano depois estávamos casados, como se fosse a coisa mais esperada e mais natural do mundo. Tivemos filhos, honramos a Deus e a família... até que um dia o vento chegou e tornou a separar as nuvens.

Eu aguardo que termine o que quer dizer. Seus olhos vagam pela Casa Ipatiev.

– Não é justo. Não foi justo. Pode parecer um absurdo, mas eu preferiria que tivéssemos todos partido juntos para a outra vida, como o tsar e sua família.

Não, ele ainda não disse tudo o que desejava. Fica aguardando que eu comente algo, mas me mantenho em silêncio. Parece que os fantasmas dos mortos estão realmente ao nosso lado.

– E quando vi como você e a menina se olhavam no trem, naquele cubículo onde ficam as portas, eu me lembrei de minha mulher, do seu primeiro olhar, que mesmo antes de conversarmos qualquer coisa já me dizia: "Estamos juntos de novo." Por isso resolvi trazê-lo até aqui. Para perguntar se é capaz de ver o que não conseguimos, se sabe onde ela se encontra neste momento.

Então ele testemunhou o momento em que Hilal e eu penetramos no Aleph.

Olho de novo o local, agradeço por ter me levado até ali e peço que continuemos a andar.

– Não faça aquela menina sofrer. Cada vez que a vejo

olhando para você, me parece que vocês já se conhecem há muito tempo.

Penso comigo mesmo que isso não é exatamente algo com que deva me preocupar.

– Você me perguntou no trem se gostaria de acompanhá-lo em algo que irá fazer hoje à noite. O convite está de pé? Podemos conversar sobre isso mais tarde. É pena que você nunca tenha me visto contemplando minha mulher dormir. Também saberia ler meus olhos e entenderia por que estamos casados há quase trinta anos.

★   ★   ★

ANDAR ESTÁ ME FAZENDO MUITO BEM ao corpo e à alma. Estou completamente concentrado no momento presente: aqui estão os sinais, os mundos paralelos, os milagres. O tempo realmente não existe: Yao é capaz de falar sobre a morte do tsar como se tivesse acontecido ontem, mostrar suas feridas de amor como se tivessem surgido há apenas alguns minutos, enquanto eu me lembro da plataforma da estação em Moscou como algo no mais longínquo passado.

Paramos em um parque e ficamos olhando as pessoas. Mulheres com filhos, homens apressados, rapazes discutindo em um canto, em torno de um rádio que toca música alta. Moças reunidas exatamente do lado oposto, ocupadas em uma conversa muito animada sobre algum assunto sem qualquer importância. Pessoas de idade com seus longos casacos de inverno, embora já seja primavera. Yao compra dois cachorros-quentes e volta.

– É difícil escrever? – pergunta ele.

– Não. É difícil aprender tantas línguas estrangeiras?

– Tampouco. Basta prestar atenção.

– Eu vivo prestando atenção e jamais consegui ir além do que aprendi quando era jovem.

– Pois eu nunca tentei escrever, porque desde jovem me disseram que é necessário estudo, leituras aborrecidíssimas e muitos contatos com intelectuais. Detesto intelectuais.

Não sei se aquilo é uma indireta. Estou comendo meu cachorro-quente e não preciso responder. Volto de novo a pensar em Hilal e no Aleph. Será que ela ficou assustada e agora que está em casa desistiu da viagem? Há alguns meses eu ficaria preocupadíssimo com um processo interrompido no meio, achando que meu aprendizado dependia única e exclusivamente daquilo. Mas está fazendo sol e se o mundo parece em paz é porque está em paz.

– O que é necessário para escrever? – insiste Yao.

– Amar. Como você amou sua mulher. Melhor dizendo, como você ama sua mulher.

– Só isso?

– Está vendo este parque diante de nós? Aqui estão várias histórias que, embora tenham sido contadas muitas vezes, sempre vale a pena repeti-las. O escritor, o cantor, o jardineiro, o tradutor, somos todos um espelho do nosso tempo. Colocamos amor e fazemos nosso trabalho. No meu caso, claro que a leitura é importantíssima, mas aquele que se aferra aos livros acadêmicos e aos cursos de estilo não entende o essencial: as palavras são a vida colocada no papel. Portanto, busque as pessoas.

– Sempre que via aqueles cursos de literatura na universidade em que lecionava, tudo aquilo me parecia...

– ... artificial, imagino – completo, interrompendo-o. – Ninguém aprende a amar seguindo um manual, ninguém aprende a escrever frequentando um curso. Não estou dizendo que busque outros escritores, e sim que encontre pessoas com diferentes habilidades, porque escrever não é diferente de qualquer atividade feita com alegria e entusiasmo.

– Você escreveria um livro sobre os últimos dias de Nicolau II?

– Não é algo que me entusiasme muito. A história é interessante, mas escrever, para mim, é sobretudo um ato de descobrir a mim mesmo. Se tivesse que lhe dar um único conselho, seria este: não se deixe intimidar pela opinião dos outros. Só a mediocridade é segura, por isso corra seus riscos e faça o que deseja.

"Busque pessoas que não têm medo de errar e, portanto, erram. Por causa disso, nem sempre o trabalho delas é reconhecido. Mas é esse tipo de gente que transforma o mundo e, depois de muitos erros, consegue acertar algo que fará a diferença completa na sua comunidade."

– Como Hilal.

– Sim, como ela. Mas quero lhe dizer uma coisa: o que você sentiu por sua mulher, eu sinto pela minha. Não sou um santo e não tenho a menor intenção de sê-lo, mas, usando sua imagem, éramos duas nuvens e agora somos uma só. Éramos dois cubos de gelo que a luz do sol derreteu e agora somos a mesma água viva.

– E, mesmo assim, quando passei e vi a maneira como você e Hilal se olhavam...

Eu não alimento a conversa, e ele se cala.

No parque, o grupo de garotos nunca olha as meninas que estão a apenas alguns metros – embora os dois grupos estejam interessadíssimos um no outro. Os mais velhos passam concentrados em suas memórias de infância. As mães sorriem para os filhos como se ali estivessem todos os futuros artistas, milionários e presidentes da República. O cenário diante de nossos olhos é a síntese do comportamento humano.

– Já vivi em muitos países – diz Yao. – É evidente que passei por momentos muito aborrecidos, enfrentei situações injustas, falhei quando esperavam o melhor de mim. Mas essas memórias não têm a menor relevância na minha vida. As coisas importantes que ficaram foram os momentos em que escutei pessoas cantando, contando histórias, aproveitando a vida. Perdi minha mulher há vinte anos; no entanto, parece que foi ontem. Ela ainda está aqui, sentada neste banco conosco, relembrando os momentos felizes que vivemos juntos.

Sim, ela ainda está aqui. Se conseguir encontrar as palavras certas, terminarei explicando isso a ele.

Minha sensibilidade agora está à flor da pele, depois que vi o Aleph e que entendi o que J. dizia. Não sei se vou conseguir resolver isso, mas pelo menos estou consciente do problema.

– Vale sempre a pena contar uma história, nem que seja apenas para a sua família. Quantos filhos você tem?

– Dois homens e duas mulheres. Mas não estão muito interessados nas minhas histórias, porque pelo visto já as repeti muitas vezes. Você vai escrever algum livro sobre sua viagem pela Transiberiana?

– Não.

Mesmo que eu quisesse, como poderia descrever o Aleph?

O ALEPH

A ONIPRESENTE HILAL CONTINUA DESAPARECIDA.

Depois de controlar-me por boa parte do jantar, agradecendo a todos pela organização da tarde de autógrafos, pela música e dança russa na festa que se seguiu (as bandas em Moscou e nos outros países normalmente tocavam um repertório internacional), pergunto se alguém deu o endereço do restaurante para ela.

As pessoas me olham com surpresa: claro que não! Pelo que haviam entendido, aquela menina não estava me deixando em paz. Ainda bem que não apareceu durante o meu encontro com os leitores.

– Podia querer dar outro concerto de violino para roubar a cena – comenta a editora.

Yao me olha do outro lado da mesa e entende que na verdade estou dizendo o oposto: "Adoraria que ela estivesse aqui." Mas por quê? Para visitar o Aleph mais uma vez e terminar entrando na porta que não me traz nenhuma boa lembrança? Sei aonde esta porta me leva; já estive ali quatro vezes e jamais consegui encontrar a resposta que precisava. Não foi isso que vim buscar quando decidi começar a longa viagem de volta ao meu reino.

Terminamos o jantar. Os dois convidados que representam os leitores, escolhidos ao acaso, tiram fotos e perguntam se eu gostaria de conhecer a cidade. Sim, eu gostaria.

– Tínhamos combinado algo – diz Yao.

A irritação dos editores, antes direcionada à moça determinada que insistia em estar sempre presente, começa a se voltar para o tradutor que contrataram e que agora exigia minha presença, quando devia ser exatamente o contrário.

– Acho que ele está cansado – diz a editora. – O dia foi longo.

– Ele não está cansado. Sua energia está muito boa, por causa das vibrações de amor desta tarde.

Os editores têm razão. Apesar da idade, Yao parece estar querendo mostrar a todos que ocupa uma posição privilegiada no "meu reino". Entendo sua tristeza por ver partir deste mundo a mulher que amava e, na hora certa, saberei o que e como dizer. Mas temo que no momento esteja querendo me contar "uma história fantástica, que daria um ótimo livro". Já escutei isso muitas vezes, principalmente de gente que perdeu alguém.

Resolvo deixar todo mundo satisfeito:

– Irei andando até o hotel com Yao. Entretanto preciso ficar um pouco só. – Será minha primeira noite de solidão desde que embarcamos.

★ ★ ★

A TEMPERATURA BAIXOU MAIS DO QUE imaginávamos, o vento está soprando, a sensação de frio é ainda mais aguda. Passamos por uma rua movimentada e vejo que não sou o único a querer ir direto para casa. As portas das lojas se fecham, as cadeiras são empilhadas em cima das mesas, os letreiros luminosos começam a se apagar. Mesmo assim, depois de um dia e meio trancado em um trem e sabendo que ainda falta uma enormidade de quilômetros pela frente, preciso aproveitar cada oportunidade para fazer algum exercício físico.

Yao para diante de um furgão que vende bebidas e pede

dois sucos de laranja. Eu não tinha a menor intenção de beber nada, mas talvez seja uma boa ideia um pouco de vitamina C, por causa da temperatura.

– Guarde o copo.

Não entendo direito, mas guardo o copo. Continuamos andando pelo que deve ser a principal rua de Ekaterinburg. Em determinado momento, paramos diante de um cinema.

– Perfeito. Com o capuz do casaco e a echarpe, ninguém irá reconhecê-lo. Vamos pedir esmolas.

– Pedir esmolas? Em primeiro lugar, desde minha época hippie não faço isso. Além do mais, isso seria uma ofensa para quem realmente está precisando.

– Você está precisando. Quando visitamos a Casa Ipatiev, havia momentos em que não estava ali; parecia distante, preso ao passado, a tudo o que conseguiu e está tentando manter de qualquer maneira. Estou preocupado com a menina, e se você deseja realmente mudar um pouco, pedir esmolas agora irá transformá-lo em outra pessoa, mais inocente, mais aberta.

Também estou preocupado com a menina. Mas explico que entendo perfeitamente o que quer dizer. Entretanto, uma das muitas razões desta viagem é justamente voltar ao passado, ao que está debaixo da terra, minhas raízes.

Ia contar a história do bambu-chinês, mas desisto.

– Quem está preso ao tempo é você. Ao invés de aceitar a perda de sua mulher, não se conforma com isso. E o resultado é que ela permanece aqui, ao seu lado, tentando consolá-lo, quando a essa altura devia estar seguindo em frente, ao encontro da Luz Divina. – Em seguida, completo: – Ninguém perde ninguém. Somos todos uma única alma que precisa desenvolver-se para que o mundo siga adiante e tornemos a nos reencontrar. A tristeza não ajuda em nada.

Ele reflete sobre minha resposta e diz:

– Mas isso não é tudo.

– Não é tudo – concordo. – Quando chegar o momento certo, explico melhor. Vamos para o hotel.

Yao estende seu copo e começa a pedir dinheiro aos passantes. Pede que eu faça a mesma coisa.

– Aprendi no Japão, com monges zen-budistas, o *Takuhatsu*, a peregrinação para mendigar. Além de ajudar os mosteiros que vivem de doações e forçar o discípulo a ser humilde, essa prática tem ainda outro sentido: purificar a cidade onde mora. Porque o doador, o pedinte e a própria esmola fazem parte de uma importante cadeia de equilíbrio.

"Aquele que pede, assim o faz porque está precisando, mas aquele que dá age dessa maneira porque também está precisando. A esmola serve como ligação entre duas necessidades, e o ambiente da cidade melhora, já que todos puderam realizar ações que precisavam ter acontecido. Você está em peregrinação, é hora de ajudar as cidades que conhece."

Estou tão surpreso que não reajo. Yao se dá conta de que talvez tenha exagerado; faz menção de colocar de novo o copo no bolso.

– Não! É realmente uma excelente ideia!

Durante os 10 minutos seguintes ficamos ali, cada um em uma calçada, saltando de um pé para o outro a fim de combater o frio, com os copos estendidos em direção às pessoas que passam. No começo apenas mantenho o copo à minha frente, mas aos poucos vou perdendo a inibição e começo a pedir ajuda – um estrangeiro perdido.

Nunca tive o menor problema em pedir. Tenho conhecido ao longo da vida muitas pessoas que se preocupam com os outros, que são extremamente generosas na hora de dar e que encontram um profundo prazer quando alguém lhes pede um conselho ou apoio. Até aí tudo bem – é ótimo poder fazer o bem ao próximo.

Entretanto, conheço muito poucas pessoas que são capazes de receber algo – mesmo quando lhes é dado com amor e generosidade. Parece que o ato de receber faz com que se sintam numa posição inferior, como se depender de alguém fosse algo indigno. Pensam: "Se alguém está nos dando algo, é porque somos incompetentes para consegui-lo com o próprio esforço." Ou então: "A pessoa que me dá agora um dia irá cobrar com juros." Ou ainda, o que é pior: "Eu não mereço o bem que me querem fazer."

Mas aqueles 10 minutos ali me relembram quem já fui, me educam, me libertam. No fim, quando atravesso a rua, tenho o equivalente a 11 dólares em meu copo de suco de laranja. Yao conseguiu mais ou menos a mesma coisa. Ao contrário do que ele disse, foi uma bela volta ao passado; reviver algo que há muito tempo não experimentava e assim renovar não apenas a cidade, mas a mim mesmo.

– O que faremos com o dinheiro? – pergunto.

Minha opinião sobre ele começa de novo a mudar. Deve saber algumas coisas, eu sei outras, e podemos continuar nos ensinando mutuamente.

– Em teoria, ele é nosso, porque nos foi dado. Portanto, guarde em um lugar separado e use em tudo o que julgar importante.

Coloco as moedas no bolso esquerdo e farei exatamente o que está me sugerindo. Caminhamos a passos rápidos em direção ao hotel, porque o tempo ao ar livre já queimou todas as calorias do jantar.

★ ★ ★

Quando chego ao saguão, a onipresente Hilal está nos esperando. Junto com ela, estão uma senhora muito bonita e um senhor de terno e gravata.

– Olá – digo. – Entendo que está de volta a sua casa. Mas foi uma alegria você ter viajado este trecho comigo. São seus pais?

O homem não mostra qualquer reação, mas a bela senhora ri.

– Quem dera! Essa menina é um prodígio. Pena que não consegue dedicar-se o suficiente à sua vocação. Que grande artista o mundo está perdendo!

Hilal parece que não escutou o comentário. Vira-se direto para mim:

– Olá? É isso que você tem a me dizer depois daquilo que aconteceu no trem?

A mulher olha espantada. Imagino o que está pensando: o que aconteceu no trem? Será que eu não entendo que podia ser pai desta menina?

Yao explica que está na hora de subir para seu quarto. O senhor de terno e gravata não reage, possivelmente porque não entende inglês.

– Não aconteceu nada no trem. Pelo menos nada do que imaginam! E quanto a você, menina, o que esperava que eu dissesse? Que senti sua falta? Estive muito ocupado o dia inteiro.

A mulher traduz para o senhor de gravata, todos sorriem, inclusive Hilal. Pela minha frase, ela entendeu que senti sua falta, já que não havia perguntado nada sobre isso e eu o mencionara espontaneamente.

Peço que Yao fique mais um pouco porque não sei aonde aquela conversa vai chegar. Sentamos e pedimos um chá. A mulher bonita se apresenta como professora de violino e explica que o senhor que as acompanha é o diretor do conservatório local.

– Penso que Hilal é um daqueles grandes talentos desperdiçados – diz a professora. – Ela é extremamente insegura. Já lhe disse isso várias vezes e estou repetindo agora. Não tem confiança no que faz, acha que não é reconhecida, que as pessoas detestam seu repertório. Não é verdade.

Hilal insegura? Acho que conheci poucas pessoas tão determinadas como ela.

– E como toda pessoa que tem muita sensibilidade – continua a professora de olhos doces e complacentes – é um pouco... digamos... instável.

– Instável! – repete Hilal em voz alta. – Uma palavra educada para dizer: LOUCA!

A professora vira para ela com carinho e volta-se novamente para mim, aguardando que eu diga alguma coisa. Eu não digo nada.

– Sei que o senhor pode ajudá-la. Soube que a viu tocando violino em Moscou. E soube também que ela foi aplaudida. Isso nos dá uma ideia do seu talento, porque o pessoal de Moscou é muito exigente com música. Hilal é disciplinada, estuda mais que a maioria dos outros, já tocou em orquestras importantes aqui na Rússia e viajou para o exterior junto com uma delas. Mas, de repente, alguma coisa aconteceu. Não conseguiu mais progredir.

Eu acredito na ternura daquela mulher. Penso que ela quer sinceramente ajudar Hilal e a todos nós. Mas a frase "De repente, alguma coisa aconteceu. Não conseguiu mais progredir" ressoou em meu coração. Era justamente por essa mesma razão que eu estava aqui.

O senhor de gravata não consegue participar da conversa – sua presença ali deve ser para apoiar a bela mulher de olhos doces e a talentosa violinista. Yao finge estar concentrado no chá.

– Mas o que posso fazer?

– O senhor sabe o que pode fazer. Mesmo que ela não seja uma criança, seus pais estão preocupados. Ela não pode parar sua carreira profissional no meio de ensaios e seguir uma ilusão.

A mulher bonita faz uma pausa. Entende que a frase certa não era exatamente a que acabara de dizer.

– Ou seja, ela pode ir até o Pacífico a qualquer outra hora, mas não neste momento, quando temos um novo concerto para ensaiar.

Eu concordo. Não importa o que eu diga, Hilal irá fazer exatamente o que lhe der na cabeça. Penso que trouxe os dois ali para me testar, saber se realmente é bem-vinda ou se deve parar agora.

– Agradeço muito sua visita. Respeito seu cuidado e seu compromisso com o trabalho – digo, levantando-me. – Mas não fui eu quem convidei Hilal. Não sou eu quem está pagando sua passagem. Não a conheço direito.

O olhar de Hilal diz: "Mentira." Mas eu continuo:

– De maneira que, se amanhã ela estiver no trem em direção a Novosibirski, não será absolutamente minha responsabilidade. Por mim, ela ficava aqui. Se a senhora conseguir convencê-la disso, terá não apenas a minha gratidão, como a de muitas pessoas no trem.

Yao e Hilal dão uma gargalhada.

A bela mulher me agradece, diz que entende perfeitamente a minha situação e que irá conversar com ela, explicar um pouco mais sobre as realidades da vida. Todos nos despedimos, o senhor de terno e gravata aperta minha mão, dá um sorriso e, não sei por que, penso que ele está doido para que Hilal continue sua viagem. Ela deve ser um problema para toda a orquestra.

Yao agradece pela noite especial e sobe para seu quarto. Hilal não se mexe.

– Vou dormir. Você escutou a conversa. E, francamente, não entendo o que foi fazer no Conservatório de Música: pedir permissão para continuar? Dizer que estava viajando conosco e despertar a inveja dos colegas?

– Fui lá para saber que eu existo. Depois do que aconteceu no trem eu já não tenho certeza de nada. O que foi aquilo?

Entendo o que quer dizer. Lembro minha primeira experiência com o Aleph, completamente por acaso, no campo de concentração de Dachau, na Alemanha, em 1982. Fiquei desnorteado por alguns dias, e, se não fosse pela minha mulher, teria certeza de que sofrera um derrame cerebral.

– O que aconteceu? – insisto.

– Meu coração disparou, eu achei que não estava mais neste mundo, senti um pânico absoluto e vi a morte de perto. Tudo à minha volta parecia estranho, e, se você não me segurasse pelo braço, acho que não conseguiria me mover. Eu tinha a sensação de que coisas importantíssimas estavam aparecendo diante de meus olhos, mas não consegui compreender nenhuma delas.

Minha vontade foi dizer: acostume-se.

– O Aleph – digo.

– Em algum momento daquele tempo interminável que permaneci em um transe que jamais experimentei, escutei você dizendo esta palavra.

A simples lembrança do que ocorreu faz com que ela esteja de novo com medo. Hora de aproveitar o momento:

– Você ainda acha que deve continuar a viagem?

– Mais do que nunca. O terror sempre me fascinou. Você lembra a história que contei na embaixada...

Peço que vá até o bar e traga café – só mesmo ela para conseguir, porque somos os únicos clientes e o barman deve estar louco para apagar as luzes. Ela faz o que peço, discute com o rapaz, mas volta com duas xícaras de café turco, em que o pó não é filtrado. Como brasileiro, café forte de noite não me assusta: durmo bem ou mal dependendo de outras coisas.

– Não dá para explicar o Aleph, como você mesma viu. Mas na Tradição mágica ele se apresenta de duas maneiras. A primeira delas é um ponto no Universo que contém todos os outros pontos, presentes e passados, pequenos ou grandes. Geralmente o descobrimos por acaso, como aconteceu no trem. Para que isso aconteça, a pessoa – ou as pessoas – tem que estar no lugar físico onde ele se encontra. Chamamos isso de pequeno Aleph.

– Ou seja: todo mundo que entrar naquele vagão e for para aquele lugar vai sentir o que sentimos?

– Se você me deixar falar até o final, talvez entenda. Sim, a pessoa vai sentir, mas não da maneira que sentimos. Você já deve ter ido a uma festa e descoberto que em determinado lugar da sala sente-se melhor e mais segura do que em outro. Isso é uma pálida comparação com o Aleph, mas a energia Divina flui de maneira diferente para cada um. Se encontra o lugar certo onde ficar na festa, essa energia lhe ajuda a ser mais segura e mais presente. No caso de uma pessoa passar por aquele ponto no vagão, ela terá uma sensação estranha, como se conhecesse tudo. Mas não vai parar para prestar atenção, e o efeito se dissolverá no momento seguinte.

– Quantos desses pontos existem no mundo?

– Não sei exatamente. Mas são milhões.

– Qual a segunda coisa?

– Antes preciso completar: o exemplo da festa é apenas uma comparação. O pequeno Aleph sempre aparece por acaso.

Você está andando em uma rua, ou senta-se em determinado lugar, e de repente o Universo inteiro está ali. A primeira coisa que surge é uma imensa vontade de chorar, não de tristeza nem de alegria, mas de emoção. Você sabe que está *compreendendo* algo, mesmo que não consiga explicar sequer para si mesma.

O barman vem até nós, diz alguma coisa em russo e me dá a nota para assinar. Hilal explica que devemos sair. Caminhamos até a porta.

Salvo pelo apito do juiz!

– Continue: qual a segunda coisa?

Pelo visto, a partida ainda não terminou.

– A segunda coisa é o grande Aleph.

É melhor explicar tudo de uma vez, quando ela ainda pode voltar para o conservatório de música e esquecer tudo o que tinha acontecido.

– O grande Aleph ocorre quando duas ou mais pessoas que têm algum tipo de afinidade muito grande se encontram por acaso no pequeno Aleph. Essas duas energias diferentes se completam e provocam uma reação em cadeia. Essas duas energias...

Não sei se devo ir além, mas é inútil. Hilal completa a frase:

– São o polo positivo e o negativo de qualquer bateria, o que faz acender a lâmpada. Elas se transformam na mesma luz. Os planetas que se atraem e terminam colidindo. Os amantes que se encontram depois de muito, muito tempo. O segundo é aquele que é provocado também por acaso quando duas pessoas que o Destino escolheu para uma missão específica se encontram no lugar certo.

Isso mesmo. Mas quero ter certeza de que entendeu.

– O que quer dizer com "lugar certo"? – pergunto.

– Quero dizer que duas pessoas podem viver a vida inteira

juntas, trabalhar juntas, ou então podem se encontrar apenas uma vez, e se despedir para sempre porque não passaram pelo ponto físico que faz jorrar de maneira descontrolada aquilo que as uniu neste mundo. Ou seja, se afastam sem entender direito o que as aproximou. Mas, se Deus assim deseja, aqueles que uma vez conheceram o amor voltam a se reencontrar.

– Não necessariamente. Mas pessoas que tiveram afinidades, como eu e meu mestre, por exemplo...

– ... antes, em vidas passadas. – ela me interrompe. – Que, na tal festa que você usou como exemplo, se encontram no pequeno Aleph e se apaixonam imediatamente. O famoso amor à primeira vista.

Melhor continuar o exemplo que ela estava usando.

– Que por sua vez não é "à primeira vista", mas está ligado a toda uma série de coisas que já ocorreram no passado. Isso não quer dizer que TODO encontro seja relacionado ao amor romântico. A maioria deles ocorre porque existem coisas que não foram ainda resolvidas, e precisamos de uma nova encarnação para colocar no devido lugar aquilo que foi interrompido. Você anda lendo coisas que não correspondem à realidade.

– Eu te amo.

– Não, não é isso que estou dizendo – eu me exaspero. – Já encontrei a mulher que precisava encontrar nesta encarnação. Demorou três casamentos, mas agora não pretendo deixá-la por ninguém neste mundo. Nós nos conhecemos há muitos séculos e continuaremos juntos pelos séculos vindouros.

Mas ela não deseja escutar o resto. Da mesma maneira que fizera em Moscou, me dá um rápido beijo na boca e sai para a noite gelada de Ekaterinburg.

SONHADORES NÃO
PODEM SER DOMADOS

A VIDA É O TREM, NÃO É A ESTAÇÃO. E, depois de quase dois dias de viagem, é cansaço, desorientação, a tensão que cresce quando um grupo de pessoas está confinado no mesmo lugar e saudade dos dias que passamos em Ekaterinburg.

No dia de embarcarmos, encontrei na portaria do hotel uma mensagem de Yao perguntando se eu não gostaria de treinar um pouco de Aikido, mas não respondi: precisava ficar sozinho algumas horas.

Passei aquela manhã inteira fazendo o máximo de exercício físico possível – o que para mim significa caminhar e correr. Assim, quando voltasse ao vagão, com certeza estaria cansado o suficiente para dormir. Consegui falar por telefone com minha mulher – meu celular não funcionava no trem. Expliquei que talvez a Transiberiana não tenha sido a melhor ideia do mundo, que não estava convencido de que iria até o final, mas de qualquer maneira estava valendo como experiência.

Ela me respondeu que o que eu decidisse estava bom para ela, que não me preocupasse, estava ocupadíssima com suas pinturas. Entretanto, tivera um sonho que não conseguia compreender: eu estava em uma praia, alguém chegava do mar e me dizia que finalmente estava cumprindo minha missão. Em seguida desaparecia.

Perguntei se era mulher ou homem. Explicou-me que o rosto estava envolto em um capuz, por isso não sabia a resposta. Abençoou-me e repetiu que não me preocupasse, o Rio de Janeiro estava um forno embora já fosse outono. Mas que eu seguisse minha intuição, sem ligar para o que os outros diziam.

– Nesse mesmo sonho, uma mulher ou uma jovem, não sei exatamente, estava na praia com você.

– Existe uma jovem aqui. Não sei exatamente a idade, mas deve ter menos de 30 anos.

– Confie nela.

★   ★   ★

Na parte da tarde encontrei os editores, dei algumas entrevistas, jantamos em um excelente restaurante e fomos para a estação por volta das onze da noite. Atravessamos os montes Urais – a cadeia de montanhas que separa a Europa da Ásia – em plena escuridão. Ninguém viu absolutamente nada.

E, a partir daí, a rotina tornou a instalar-se. Quando o dia raiava, como se movidos por um sinal invisível, todos já estavam de novo em torno da mesa do café da manhã. De novo, ninguém havia conseguido pregar o olho. Nem mesmo Yao, que parecia estar acostumado com esse tipo de viagem; seu ar parecia cada vez mais cansado e mais triste.

Como sempre, Hilal esperava ali. E, como sempre, dormira melhor que todo mundo. Começávamos a conversa com as queixas sobre o balanço do vagão, comíamos, eu voltava para o quarto para tentar dormir, levantava depois de algumas horas, ia para a sala, encontrava as mesmas pessoas, comentávamos os milhares de quilômetros que nos esperavam adiante, olhávamos pela janela, fumávamos, escutávamos a música sem graça que vinha pelo sistema de alto-falantes do trem.

Hilal agora quase não dizia nada. Instalava-se sempre no mesmo canto, abria um livro e começava a ler, cada vez mais ausente do grupo. Ninguém parecia se incomodar com isso, exceto eu – que achava sua atitude uma absoluta falta de respeito com todos. Entretanto, ponderando sobre a outra possibilidade – seus comentários sempre inapropriados –, escolhi não dizer nada.

Terminava o café da manhã, voltava de novo para o quarto, escrevia um pouco, tentava dormir de novo, cochilava algumas horas – e agora a noção do tempo estava se perdendo rapidamente, todos diziam isso. Ninguém se preocupava mais com o fato de ser dia ou noite; éramos guiados pelas refeições, como imagino que os prisioneiros também sejam.

Em algum momento todos voltavam para a sala, o jantar era servido, mais vodca que água mineral, mais silêncio que conversa. O editor me contou que, quando não estou por perto, Hilal fica tocando um violino imaginário, como se estivesse praticando. Sei que jogadores de xadrez fazem a mesma coisa: trabalham partidas inteiras em suas cabeças, apesar da ausência do tabuleiro.

– Sim, ela está tocando música silenciosa para seres invisíveis. Talvez estejam precisando.

★   ★   ★

MAIS UM CAFÉ DA MANHÃ. ENTRETANTO, HOJE as coisas estão diferentes – como acontece com tudo na vida, estamos começando a nos acostumar. Meu editor reclama que seu celular não consegue funcionar direito (o meu não funciona nunca). Sua mulher está vestida como uma odalisca – o que me parece engraçado e absurdo ao mesmo tempo. Embora não fale inglês, sempre conseguimos nos entender muito bem por meio de gestos e olhares. Hilal resolveu participar da conversa, contando um pouco sobre as dificuldades que os músicos têm para viver do seu trabalho. Apesar de todo o prestígio, um músico profissional pode chegar a ganhar menos que um chofer de táxi.

– Qual é a sua idade? – pergunta a editora.

– Vinte e um anos.

– Não parece.

"Não parece" geralmente significa "parece mais velha". O que realmente era verdade. Jamais podia imaginar que fosse tão jovem.

– O diretor do Conservatório de Música me procurou no hotel em Ekaterinburg – continua a editora. – Disse que você é uma das violinistas mais talentosas que já conheceu. Mas que de repente se desinteressou por completo da música.

– Foi o Aleph – ela responde, sem me olhar diretamente.

– Aleph?

Todos a encaram, surpresos. Eu finjo que não escutei.

– Isso mesmo. O Aleph. Não conseguia encontrá-lo, a energia não fluía como eu esperava. Alguma coisa estava bloqueada em meu passado.

A conversa agora parece completamente surrealista. Eu continuo quieto, mas o meu editor tenta consertar a situação:

– Publiquei um livro sobre matemática que tem esta palavra no título. Na linguagem técnica, significa "o número que contém todos os números". O livro era sobre Cabala e matemática. Matemáticos usam o Aleph como uma referência para o número cardinal que define o infinito...

Ninguém parece estar acompanhando a explicação. Ele para no meio.

– Está também no Apocalipse – digo, como se fosse a primeira vez que estivesse escutando sobre o assunto. – Quando o Cordeiro define que é o início e o fim, aquele que está além do tempo. É a primeira letra dos alfabetos hebraico, árabe e aramaico.

A essa altura a editora está arrependida de ter transformado Hilal no centro das atenções. É necessário alfinetar mais um pouco.

– Seja o que for, uma menina de 21 anos, que mal saiu da escola de música e tem uma carreira brilhante pela frente, ter vindo de Moscou para Ekaterinburg já deveria ser o suficiente.

– Ainda mais quando é *spalla*.

Hilal viu a confusão que a palavra anterior causou e diverte-se em provocar a editora com outro termo misterioso.

A tensão cresce. Yao resolve interferir:

– Você já é *spalla*? Parabéns!

E voltando-se para o grupo:

– Como todos vocês sabem, o *spalla* é o primeiro violino da orquestra. O último concertista a entrar no palco antes do maestro, sempre sentado na primeira fila à esquerda. Ele é responsável por afinar todos os instrumentos. Tenho uma interessante história para contar a esse respeito e aconteceu justamente quando estava em Novosibirsk, nossa próxima parada. Vocês querem ouvir?

Todos concordam, como se soubessem exatamente o que aquela palavra significava.

A história de Yao não é tão interessante assim, mas o enfrentamento entre Hilal e a editora foi adiado. No final de um aborrecidíssimo discurso sobre as maravilhas turísticas de Novosibirsk, os ânimos estão serenados, as pessoas pensam novamente em voltar para seus quartos e tentar descansar um pouco e eu mais uma vez me arrependo daquela ideia de atravessar um continente inteiro de trem.

– Esqueci de colocar a reflexão de hoje.

Yao escreve em um papel amarelo: "Sonhadores não podem ser domados", e prega o dizer no espelho junto com o anterior.

– Um jornalista de TV nos aguarda numa das próximas estações e pergunta se pode entrevistá-lo – comenta o editor.

Claro que sim. Aceito qualquer distração, qualquer coisa que faça passar o tempo.

– Escreva sobre a insônia – sugere o editor. – Quem sabe o ajuda a dormir.

– Eu também quero entrevistá-lo – interrompe Hilal, e vejo que agora saiu de vez da letargia em que se encontrava no dia anterior.

– Marque um horário com meu editor.

Levanto-me, vou para a cabine, fecho os olhos e passo as próximas duas horas rolando de um lado para outro, como de hábito; a esta altura meu mecanismo biológico já está completamente desequilibrado. E, como toda pessoa insone, acho que posso usar o tempo para refletir sobre coisas interessantes, o que é absolutamente impossível.

Começo a escutar uma música. No início, penso que a percepção do mundo espiritual está de volta sem que eu precise fazer qualquer esforço. Mas aos poucos vou me dando conta de que, além da música, escuto o ruído das rodas do trem nos trilhos e dos objetos balançando em minha mesa.

A música é real. E vem do banheiro. Levanto e vou até ali.

Hilal colocou um pé dentro da banheira e o outro do lado de fora e, equilibrando-se como pode, toca seu violino. Sorri quando me vê, porque estou apenas de cuecas. Mas a situação me parece tão natural, tão familiar, que não faço o menor esforço de voltar e colocar as calças.

– Como entrou?

Ela não interrompe a música; aponta com a cabeça para a porta do quarto contíguo, que divide o mesmo banheiro com o meu. Faço um sinal afirmativo e me sento no outro extremo da banheira.

– Esta manhã acordei sabendo que preciso ajudá-lo a entrar de novo em contato com a energia do Universo. Deus passou por minha alma e me disse que, se isso acontecer com você, também acontecerá comigo. E me pediu que viesse até aqui embalar o seu sono.

Eu jamais havia comentado com ela que em determinado momento tivera a sensação de perder esse contato. E seu gesto me comove. Os dois tentando manter o equilíbrio em um vagão que joga de um lado para outro, o arco tocando a corda, a corda emitindo o som, o som se espalhando pelo espaço, o espaço transformando-se em tempo musical e a paz sendo transmitida por um simples instrumento. A luz divina que vem de tudo o que é dinâmico, ativo.

A alma de Hilal está em cada nota, em cada acorde. O Aleph me revelou um pouco da mulher que está na minha frente. Não me lembro de cada detalhe de nossa história juntos, mas já nos encontramos antes. Espero que ela jamais descubra em que circunstâncias. Neste exato momento ela está me envolvendo na energia do Amor, como possivelmente já o fez no passado; que continue assim, porque isso é a única coisa que sempre nos salvará, independentemente dos erros cometidos. O amor é sempre mais forte.

Começo a vesti-la com as roupas que ela usava quando a encontrei da última vez que nos vimos a sós, antes que outros homens chegassem à cidade e mudassem toda a história: colete bordado, blusa branca com rendas, saia longa até os tornozelos, veludo negro com fios de ouro. Eu a escuto falar sobre suas conversas com pássaros, e tudo aquilo que as aves dizem aos homens – embora os homens não escutem direito. Neste momento eu sou seu amigo, seu confessor, seu...

Paro. Não quero abrir esta porta, a não ser que seja absolutamente necessário. Já passei por ela outras quatro vezes e não

cheguei a lugar nenhum. Sim, me lembro de todas as oito mulheres que estavam ali, sei que um dia terei a resposta que está
faltando, mas isso jamais me impediu de seguir adiante em minha
vida atual. Da primeira vez fiquei assustadíssimo, mas logo depois
entendi que o perdão só funciona para quem o aceita.

Eu aceitei o perdão.

Há um momento na Bíblia, durante a Última Ceia, em que
Jesus diz na mesma frase: "Um de vocês irá me negar e o outro
irá me trair." Coloca ambos os crimes como igualmente graves.
Judas o trai – e, corroído pela culpa, termina se enforcando.
Pedro o nega – não apenas uma, mas três vezes. Teve bastante
tempo para refletir e insistiu no erro. Mas, em vez de punir a
si mesmo por isso, usa sua fraqueza como força; transforma-se
no primeiro grande pregador da mensagem daquele a quem
abandonou quando mais precisava de sua companhia.

Ou seja: a mensagem do amor era maior que o erro. Judas não
a entendeu, e Pedro a usou como sua ferramenta de trabalho.

Não quero abrir esta porta, porque é como um dique sustentando o oceano. Basta fazer um pequeno furo e pouco depois a pressão da água terá estourado tudo e inundado o que
não deveria ser inundado. Estou em um trem e existe apenas
uma mulher chamada Hilal, originária da Turquia, *spalla* de uma
orquestra, tocando violino no banheiro. Começo a ter sono –
o remédio está fazendo efeito. Minha cabeça abaixa, meus
olhos fecham. Hilal interrompe a música e pede que eu me
deite. Obedeço.

Ela se instala na cadeira e continua a tocar. E de repente não
estou mais no trem, nem naquele jardim onde a vi com a blusa
branca – estou navegando por um túnel profundo que irá levar-
-me ao nada, ao sono pesado e sem sonhos. A última coisa de
que me lembro antes de dormir é a frase que Yao colocou no
espelho aquela manhã.

Y ao está me chamando.

– O jornalista chegou.

Ainda é dia, o trem está parado em uma estação. Levanto com a cabeça rodando, entreabro a porta e vejo meu editor do lado de fora.

– Quanto tempo dormi?

– Acho que o dia inteiro. São cinco da tarde.

Explico que preciso de tempo – tomar um banho, despertar de verdade, para não dizer coisas de que me arrependerei depois.

– Não se preocupe. O trem ficará parado aqui pela próxima hora.

Ainda bem que estamos parados: tomar banho com o balançar do vagão é uma tarefa difícil e perigosa, posso escorregar, me machucar e terminar a viagem da maneira mais idiota possível – com um aparelho ortopédico. Sempre que entro naquela banheira, pareço experimentar as sensações que temos em uma prancha de surfe. Mas hoje foi fácil.

Quinze minutos depois saio, tomo um café com todos, sou apresentado ao jornalista e pergunto quanto tempo precisa para a entrevista.

– Combinamos uma hora. Minha ideia é acompanhá-los até a próxima estação e...

– Dez minutos. Em seguida o senhor pode descer aqui mesmo, não quero atrapalhar sua vida.

– Mas não está...

– Não quero atrapalhar sua vida – respondo. Na verdade, não devia ter aceito entrevista nenhuma, mas eu me comprometera em um momento em que não estava pensando direito. Meu objetivo nesta viagem é outro.

O jornalista olha para o editor, que se vira para a janela. Yao pergunta se a mesa é um bom lugar para a filmagem.

– Eu preferiria no espaço que dá para as portas do trem.

Hilal me olha; ali está o Aleph.

Será que ela não se cansava de ficar o tempo todo naquela mesa? Me pergunto se, depois de tocar e me enviar para um lugar sem tempo e sem espaço, ela ficou me olhando dormir. Teremos tempo, bastante tempo para conversar depois.

– Perfeito – respondo. – Pode montar a câmera. Mas só por curiosidade: por que num cubículo tão pequeno, tão ruidoso, quando poderia ser aqui?

O jornalista e o câmera, porém, já estão indo em direção ao local, e nós os seguimos.

– Por que neste espaço tão pequeno? – insisto, enquanto começam a montar o equipamento.

– Para dar o sentido de realidade ao telespectador. Aqui se passam todas as histórias da viagem. As pessoas saem de suas cabines e, por causa do corredor estreito, vêm até aqui conversar. Os fumantes se reúnem. Alguém que marcou um encontro e que não quer que outros saibam. Todos os vagões têm esses espaços nas duas extremidades.

O cubículo naquele momento está ocupado por mim, o cinegrafista, o editor, o tradutor, Hilal e um cozinheiro que veio assistir à conversa.

– Seria melhor um pouco de privacidade.

Embora uma entrevista para TV seja a coisa menos privada do mundo, o editor e o cozinheiro se afastam. Hilal e o tradutor não se movem.

– Pode chegar um pouco para a esquerda?

Não, não posso. Ali está o Aleph, criado pelas muitas pessoas que estiveram neste lugar. Embora Hilal esteja a uma distância segura e, mesmo sabendo que o mergulho no ponto único só seria provocado se estivéssemos juntos ali, acho melhor não correr o risco.

A câmera está ligada.

– Antes de começarmos, o senhor disse que entrevistas e promoção não eram seu objetivo nesta viagem. Pode nos explicar por que decidiu fazer a Transiberiana?

– Porque tinha vontade. Um sonho de adolescente. Nada tão complicado assim.

– Pelo que entendo, um trem como este não é o lugar mais confortável do mundo.

Aciono meu piloto automático e começo a responder sem pensar muito. As perguntas continuam – sobre a experiência, as expectativas, os encontros com os leitores. Eu vou respondendo com paciência, respeito, mas louco para que acabe logo. Mentalmente calculo que já se passaram 10 minutos, mas ele continua perguntando. Discretamente, de maneira que a câmera não pegue, faço com a mão um sinal dizendo que estamos chegando ao final. Ele fica um pouco desconcertado, mas não perde a pose.

– O senhor está viajando sozinho?

A luz "Alerta!" pisca diante de mim. Pelo visto o boato já está correndo. E me dou conta de que este é o ÚNICO motivo da entrevista inesperada.

– De maneira nenhuma. Não viu quanta gente estava em torno da mesa?

– Mas, pelo visto, a *spalla* do Conservatório de Ekaterinburg...

Bom jornalista, deixou a pergunta mais complicada para o final. Entretanto, aquela não é minha primeira entrevista na vida e eu o interrompo:

– ... sim, está no mesmo trem. – não deixo que ele continue. – Quando soube disso, pedi para convidá-la a visitar nosso vagão sempre que tivesse vontade. Adoro música.

Aponto para Hilal.

– É uma jovem muito talentosa, que nos dá de vez em quando o prazer de ouvi-la ao violino. Não deseja entrevistá--la? Tenho certeza de que terá o maior prazer em responder a suas perguntas.

– Se der tempo.

Não, ele não está ali para falar de música, mas resolve não insistir e muda de assunto.

– O que é Deus para o senhor?

– QUEM CONHECE A DEUS NÃO O DESCREVE. QUEM DESCREVE A DEUS NÃO O CONHECE.

Epa!

A frase me surpreende. Embora já tenham me perguntado isso uma infinidade de vezes, a resposta do piloto automático é sempre: "Quando Deus se definiu a Moisés, ele disse: 'Eu sou.' Portanto, ele não é nem o sujeito nem o predicado, mas o verbo, a ação."

Yao se aproxima.

– Perfeito, terminamos a entrevista. Muito obrigado pelo seu tempo.

COMO LÁGRIMAS NA CHUVA

Entro no meu quarto e começo a anotar febrilmente tudo o que acabei de conversar com os outros. Daqui a pouco chegaremos a Novosibirsk. Não posso esquecer nada, nenhum detalhe. Pouco importa quem perguntou o quê. Se eu conseguir registrar minhas respostas, terei um excelente material de reflexão.

★ ★ ★

Quando termina a entrevista, sabendo que o jornalista ainda ficará ali por algum tempo, peço a Hilal que vá até seu vagão e pegue o violino. Assim, o câmera poderá filmá-la e seu trabalho será apresentado ao público. Mas o jornalista diz que precisa descer naquele momento e enviar a matéria para a redação.

Nesse meio-tempo, Hilal volta com o instrumento, que estava no quarto vazio ao lado do meu.

A editora reage.

– Se quiser ficar ali, terá que dividir conosco as despesas do aluguel do vagão. Você está ocupando o pouco espaço que temos para nós.

Meu olhar deve ter dito algo; ela não insiste no assunto.

– Já que está pronta para o concerto, por que não toca alguma coisa? – diz Yao.

Peço que desliguem os alto-falantes do vagão. E sugiro que ela toque algo breve, muito breve. Ela faz isso.

O ambiente fica completamente limpo. Todos devem ter percebido, porque o cansaço constante desapareceu. Sou tomado de uma profunda paz, maior do que a que horas antes experimentei no meu quarto.

Por que há alguns meses me queixei de que não estava conectado com a Energia Divina? Que bobagem! Sempre estamos, é a rotina que não nos permite reconhecer isso.

– Preciso falar. Mas não sei exatamente o que, portanto perguntem o que quiserem – digo.

Porque não seria eu quem iria falar. Mas seria inútil explicar.

– Você já me encontrou em algum lugar do passado? – pergunta Hilal.

Ali? Na frente de todo mundo? Era isso que ela gostaria que eu respondesse?

– Não tem importância. O que você precisa pensar é onde cada um de nós está agora. O momento presente. Costumamos medir o tempo como medimos a distância entre Moscou e Vladivostok. Mas não é isso. O tempo não se move e tampouco está parado. O tempo muda. Ocupamos um ponto nesta constante mutação, nosso Aleph. A ideia de que o tempo passa é importante na hora de saber a que horas o trem vai partir, mas fora isso não serve para muita coisa. Nem mesmo para cozinhar. Cada vez que repetimos uma receita, ela é diferente. Fui claro?

Hilal quebrou o gelo e todos começam a perguntar.

– Não somos fruto do que aprendemos?

– Aprendemos no passado, mas não somos fruto disso. Sofremos no passado, amamos no passado, choramos e sorrimos no passado. Mas isso não serve para o presente. O presente tem seus desafios, seu mal e seu bem. Não podemos culpar ou agradecer o passado pelo que está acontecendo agora. Cada nova experiência de amor não tem absolutamente nada com as experiências passadas: é sempre nova.

Eu estou falando com eles, mas também comigo mesmo.

– Alguém pode fazer com que o amor estacione no tempo? – questiono. – Podemos tentar, mas transformaremos nossa vida em um inferno. Não estou casado há mais de duas décadas com a mesma pessoa. É mentira. Nem ela nem eu somos os mesmos, por isso nossa relação continua mais viva que nunca. Eu não espero que ela se comporte como quando nos conhecemos. Ela tampouco deseja que eu seja a mesma pessoa que era quando a encontrei. O amor está além do tempo. Ou melhor, o amor é o tempo e o espaço em um ponto só, o Aleph, sempre se transformando.

– As pessoas não estão habituadas com isso. Querem que tudo permaneça como...

– ... e a única consequência é o sofrimento – interrompo. – Não somos aquilo que as pessoas desejavam que fôssemos. Somos quem decidimos ser. Culpar os outros sempre é fácil. Você pode passar sua vida culpando o mundo, mas seus sucessos ou suas derrotas são de sua inteira responsabilidade. Você pode tentar parar o tempo, mas estará desperdiçando sua energia.

O trem dá uma grande freada, inesperada, e todos se assustam. Eu continuo entendendo o que digo, embora não tenha certeza de que as pessoas na mesa me acompanham.

– Imaginem que o trem não freia, há um acidente e tudo se acaba. Todas as memórias, tudo desaparece como lágrimas na chuva, como dizia o androide em *Blade Runner*. Será mesmo? Nada desaparece, tudo fica guardado no tempo. Onde está arquivado o meu primeiro beijo? Num lugar escondido do meu cérebro? Em uma série de impulsos elétricos que já estão desativados? Meu primeiro beijo está mais vivo que nunca, eu jamais esquecerei. Ele está aqui, à minha volta. Ele me ajuda a compor o meu Aleph.

– Mas neste momento existe uma série de coisas que preciso resolver.

– Essas coisas estão naquilo que você chama de "passado" e aguardam uma decisão naquilo que você chama de "futuro" – digo. – Elas entorpecem, poluem e não deixam que você entenda o presente. Trabalhar apenas com a experiência é repetir soluções velhas para problemas novos. Conheço muitas pessoas que só conseguem ter uma identidade própria quando falam de seus problemas. Assim elas existem: porque têm problemas que estão ligados ao que julgam ser "sua história".

Como ninguém comenta nada, continuo minha explicação:

– É preciso um grande esforço para libertar-se da memória, mas, quando você consegue, começa a descobrir que é mais capaz do que pensa. Você habita neste corpo gigantesco que é o Universo, onde estão todas as soluções e todos os problemas. Visite sua alma em vez de visitar seu passado. O Universo passa por muitas mutações e o carrega com ele. Chamamos cada uma dessas mutações de "uma vida". Mas, da mesma maneira que as células do seu corpo mudam e você continua o mesmo, o tempo não passa, apenas muda. Você acha que é a mesma pessoa que estava em Ekaterinburg fazendo algo. Não é. Não sou a mesma pessoa que era quando comecei a falar. Tampouco o trem está no mesmo lugar onde Hilal tocou seu violino. Tudo mudou, e não conseguimos perceber claramente isso.

– Mas um dia o tempo desta vida acaba – intervém Yao.

– Acaba? A morte é uma porta para outra dimensão.

– E no entanto, apesar de tudo o que está dizendo, nossos entes queridos e nós mesmos partiremos um dia.

– Nunca, absolutamente nunca perdemos nossos entes queridos – afirmo. – Eles nos acompanham, não desaparecem de nossas vidas. Estamos apenas em quartos diferentes. Eu não posso ver o que tem no vagão que está na minha frente, mas ali tem gente viajando no mesmo tempo que eu, que vocês, que todo mundo. O fato de não podermos falar com eles, saber o que está ocorrendo no outro vagão, é absolutamente irrelevante; eles estão lá. Assim, aquilo que chamamos "vida" é um trem com muitos vagões. Às vezes estamos em um, às vezes em outro. Outras vezes atravessamos de um para o outro, quando sonhamos ou quando nos deixamos levar pelo extraordinário.

– Mas não conseguimos vê-los nem nos comunicar com eles.

– Sim, conseguimos. Todas as noites passamos para um outro plano enquanto dormimos. Falamos com os vivos, com os que julgamos mortos, com os que estão em outra dimensão, com nós mesmos – as pessoas que já fomos e que seremos um dia.

A energia se torna mais fluida, sei que posso perder a conexão de um momento para outro.

– O amor sempre vence aquilo que chamamos morte. Por isso não precisamos chorar por nossos entes queridos, porque eles continuam queridos e permanecem ao nosso lado. Temos uma grande dificuldade em aceitar isso. Se vocês não acreditarem, não adianta eu ficar explicando.

Noto que Yao abaixou a cabeça. Aquilo que me perguntou antes está sendo respondido agora.

– E os que odiamos?

– Tampouco devemos subestimar nossos inimigos que passaram para o outro lado – respondo. – Na Tradição mágica, eles têm o curioso nome de "viajantes". Não estou dizendo que possam fazer algum mal aqui. Não podem, a não ser que vocês permitam. Porque na verdade estamos ali com eles, e eles estão aqui com a gente. No mesmo trem. A única maneira de resolver o problema é corrigir os erros e superar os conflitos. Isso irá acontecer em algum momento, embora às vezes sejam necessárias muitas "vidas" para que cheguemos a essa conclusão. Estamos nos encontrando e nos despedindo por toda a eternidade. Uma partida seguida de um regresso, sempre um regresso seguido de uma partida.

– Mas você disse que somos parte do todo. Não existimos.

– Existimos da mesma maneira que uma célula existe. Ela pode causar um câncer destruidor, afetar grande parte do organismo. Ou pode espalhar os elementos químicos que provocam alegria e bem-estar. Mas ela não é a pessoa.

– Por que então tantos conflitos?

– Para que o Universo caminhe. Para que o corpo se mova. Nada de pessoal. Escutem.

Eles escutam, mas não ouvem. Melhor ser mais claro.

– Neste momento o trilho e a roda estão em conflito, e escutamos o barulho do atrito entre os metais. Mas o que justifica a roda é o trilho, e o que justifica o trilho é a roda. O barulho do metal é irrelevante. É apenas uma manifestação, não é um grito de queixa.

A energia está praticamente dissipada. As pessoas continuam perguntando, mas não consigo responder de maneira coerente. Todos entendem que é o momento de parar.

– Obrigado – diz Yao.

– Não me agradeça. Eu também estava escutando.

– Você está falando de...

– Não estou falando de nada em especial, e estou falando de tudo. Vocês viram que mudei minha atitude com Hilal. Não devia estar dizendo isso aqui porque não irá ajudá-la em nada; pelo contrário, algum espírito fraco pode sentir algo que só degrada o ser humano, o que chamamos de ciúme. Mas meu encontro com Hilal abriu uma porta; não a que eu queria, mas uma outra. Eu passei para outra dimensão da minha vida. Para outro vagão, onde existem muitos conflitos não resolvidos. As pessoas estão me esperando ali, preciso ir até lá.

– Outro plano, outro vagão...

– Isso. Estamos eternamente no mesmo trem, até que Deus decida detê-lo por uma razão que só Ele conhece. Mas, como é impossível ficar apenas em nossa própria cabine, caminhamos de um lado para outro, de uma vida para outra, como se elas acontecessem em sucessão. Não acontecem: sou quem fui e quem serei. Quando encontrei Hilal do lado de fora do hotel em Moscou, ela me falou de uma história que eu tinha escrito a respeito de um fogo no alto da montanha. Existe outra história a respeito do fogo sagrado que vou contar para vocês:

"O grande Rabino Israel Shem Tov, quando via que seu povo estava sendo maltratado, ia para a floresta, acendia um fogo sagrado e fazia uma prece especial, pedindo a Deus que protegesse seu povo. E Deus enviava um milagre.

Mais tarde, seu discípulo Maggid de Mezritch, seguindo os passos do mestre, ia para o mesmo lugar da floresta e dizia: 'Mestre do Universo, eu não sei como acender o fogo sagrado, mas ainda sei a oração especial. Escuta-me, por favor!' O milagre acontecia.

Uma geração se passou e o rabino Moshe-leib de Sasov, quando via as perseguições ao seu povo, ia para a floresta, dizendo: 'Eu não sei acender o fogo sagrado nem conheço a prece especial, mas ainda me lembro do lugar. Ajudai-nos, Senhor!' E o Senhor ajudava.

Cinquenta anos depois, o rabino Israel de Rizhin, em sua cadeira de rodas, falava com Deus: 'Não sei acender o fogo sagrado, não conheço a oração e não consigo sequer achar o lugar na floresta. Tudo o que posso fazer é contar esta história, esperando que Deus me escute.'"

Agora sou apenas eu que estou falando. Não é mais a Energia Divina. Mas, mesmo que não saiba como reacender o fogo sagrado nem sequer a razão pela qual ele foi aceso, pelo menos ainda posso contar uma história.

– Sejam gentis com ela.

Hilal finge que não escutou. Aliás, todo mundo finge que não escutou.

CHICAGO DA SIBÉRIA

SOMOS TODOS ALMAS QUE VAGAM PELO cosmos, vivendo nossas vidas ao mesmo tempo, mas tendo a impressão de que estamos passando de uma encarnação para outra. Tudo aquilo que toca o código de nossa alma jamais é esquecido e afeta o resto por consequência.

Eu olho para Hilal com amor, o amor que se reflete como espelho através do tempo, ou daquilo que imaginamos ser o tempo. Ela nunca foi minha e jamais será, porque assim está escrito. Se somos criadores e criaturas, também somos marionetes nas mãos de Deus, existe um limite que não podemos ultrapassar – porque isso foi ditado por razões que desconhecemos. Podemos chegar pertíssimo, tocar a água do rio com nossos pés, mas ali é proibido mergulhar e deixar-se levar pela correnteza.

Agradeço à vida porque me permitiu reencontrá-la na hora que eu precisava. Finalmente começo a aceitar a ideia de que será necessário atravessar aquela porta pela quinta vez – mesmo que ainda não descubra a resposta. Agradeço uma segunda vez à vida porque antes estava com medo e agora não estou mais. E pela terceira vez agradeço à vida porque estou fazendo esta viagem.

Divirto-me ao ver que esta noite ela está com ciúme. Embora seja um talento no violino, uma guerreira na arte de conseguir o que deseja, jamais deixou de ser criança e jamais deixará, como eu e todos aqueles que realmente desejam o melhor que a vida pode oferecer tampouco deixaremos. Só uma criança é capaz disso.

Eu provocarei seu ciúme, porque assim ela saberá do que se trata quando precisar lidar com o ciúme dos outros. Eu aceitarei seu amor incondicional, porque, quando ela amar incondicionalmente de novo, saberá em que terreno está pisando.

★   ★   ★

– CHAMAM TAMBÉM DE "CHICAGO DA SIBÉRIA".

Chicago da Sibéria. Comparações normalmente soam muito estranhas. Antes da Transiberiana, Novosibirsk tinha menos de 8 mil habitantes. Agora sua população já ultrapassa a casa de 1,4 milhão, graças a uma ponte que permitiu à ferrovia seguir sua marcha de aço e carvão em direção ao oceano Pacífico.

Conta a lenda que a cidade tem as mulheres mais lindas da Rússia. Pelo que pude ver, a lenda tem raízes profundas na realidade, embora não tenha me ocorrido comparar com outros lugares por onde passei. Neste momento estamos eu, Hilal e uma dessas deusas de Novosibirsk diante de algo completamente deslocado da realidade atual: uma gigantesca estátua de Lênin, o homem que transformou as ideias do comunismo em realidade. Nada menos romântico que olhar aquele homem de cavanhaque apontando o futuro, mas incapaz de sair daquela estátua e mudar o mundo.

Quem fez o comentário sobre Chicago foi justamente a deusa, uma engenheira chamada Tatiana, de aproximadamente 30 anos (nunca acerto, mas vou criando meu mundo com base nas minhas suposições), que depois da festa e do jantar resolveu passear conosco. A "terra firme" agora me dá a sensação de estar em outro planeta. Custo a me acostumar com um chão que não se mexe o tempo todo.

– Vamos até um bar para beber e depois dançar. Precisamos de todo exercício possível.

– Mas estamos cansados – diz Hilal.

Nesses momentos me transformo na mulher que aprendi a ser e leio o que está por trás das suas palavras: "Você está querendo ficar com ela."

– Se você está cansada, pode voltar para o hotel. Ficarei com Tatiana.

Hilal muda de tema:

– Eu gostaria de lhe mostrar algo.

– Então mostre. Não é preciso que estejamos sozinhos. Nós nos conhecemos há menos de 10 dias, não é verdade?

Isso destrói a pose de "Eu estou com ele". Tatiana se anima – não por minha causa, mas porque as mulheres sempre são inimigas naturais umas das outras. Diz que terá o maior prazer em me mostrar a vida noturna da "Chicago da Sibéria".

Lênin nos contempla impávido do seu pedestal, pelo visto, acostumado com tudo isso. Se, em vez de querer criar o paraíso do proletariado, tivesse se dedicado à ditadura do amor, as coisas teriam dado mais certo.

– Pois, então, venham comigo.

"Venham comigo?" Antes que eu possa reagir, Hilal começa a caminhar com passos firmes. Quer inverter o jogo e assim desviar o golpe, mas Tatiana cai na armadilha. Começamos a andar pela imensa avenida que vai dar na ponte.

– Você conhece a cidade? – pergunta a deusa com uma certa surpresa.

– Depende do que você chama de "conhecer". Conhecemos tudo. Quando toco meu violino, percebo a existência de...

Ela procura as palavras. Finalmente consegue achar algo que

eu compreendo, mas que serve apenas para afastar ainda mais Tatiana da conversa.

– ... um gigantesco e poderoso "campo de informação" à minha volta. Não é algo que eu possa controlar, mas que me controla e me guia para o acorde certo nos momentos de dúvida. Não preciso conhecer a cidade, apenas permitir que ela me leve para onde deseja.

Hilal anda cada vez mais rápido. Para minha surpresa, Tatiana entendeu perfeitamente o que ela falou.

– Eu adoro pintar – diz. – Embora seja engenheira por profissão, quando estou diante da tela vazia, descubro que cada toque do pincel é uma meditação visual. Uma viagem que me leva à felicidade que não consigo encontrar em meu trabalho e que espero jamais abandonar.

Lênin deve ter assistido muitas vezes ao que acaba de ocorrer. No início, duas forças se enfrentam, porque existe uma terceira que deve ser mantida ou conquistada. Pouco tempo depois, essas duas forças já são aliadas e a terceira foi esquecida ou deixou de ser relevante. Eu apenas acompanho as duas, que agora parecem amigas de infância, conversando animadamente em russo, esquecidas da minha existência. Embora o frio continue – e acho que naquele lugar o frio deve durar o ano inteiro, pois já estamos na Sibéria –, o passeio está me fazendo bem, levantando cada vez mais meu ânimo. Cada quilômetro percorrido está me levando de volta ao meu reino. Houve um momento na Tunísia em que julguei que isso não ia ocorrer, mas minha mulher acertou: estando só, fico vulnerável mas também mais aberto.

Seguir aquelas duas mulheres me deixa cansado. Amanhã vou deixar um bilhete para Yao, sugerindo praticar um pouco de Aikido. Meu cérebro tem trabalhando mais que meu corpo.

★ ★ ★

Paramos no meio de lugar nenhum, uma praça completamente vazia com uma fonte no centro. A água ainda está congelada. Hilal respira de maneira acelerada; se continuar a fazer isso, o excesso de oxigênio lhe dará a sensação de estar flutuando. Um transe artificialmente provocado, que não me impressiona mais.

Hilal agora é a mestre de cerimônias de algum espetáculo que desconheço. Pede para nos darmos as mãos e olhar para a fonte.

– Deus Todo-Poderoso – continua com a respiração rápida –, envia Teus mensageiros agora para Teus filhos que estão aqui com o coração aberto para recebê-los.

Segue adiante com um tipo de invocação muito conhecida. Noto que a mão de Tatiana começa a tremer, como se fosse também entrar em transe. Hilal parece em contato com o Universo, ou com aquilo que chamou de "campo de informação". Continua orando, a mão de Tatiana para de tremer e aperta a minha com toda a força. Dez minutos depois o ritual acaba.

Fico em dúvida se devo dizer o que penso. Mas aquela menina é pura generosidade e amor, merece escutar.

– Não entendi – digo.

Ela parece desconcertada.

– É um ritual de aproximação dos espíritos – explica.

– E onde você aprendeu isso?

– Em um livro.

Continuo agora ou espero para falar o que acho quando estivermos a sós? Como Tatiana participou do ritual, decido seguir em frente.

– Com todo o respeito pelo que você pesquisou e com todo o respeito pela pessoa que escreveu o livro, acho que está completamente fora de compasso. De que serve esse ritual da maneira como foi realizado? Vejo milhões e milhões de pessoas convencidas de que estão se comunicando com o Cosmos e salvando a raça humana por causa disso. Cada vez que não funciona, porque na verdade não funciona desta maneira, elas perdem um pouco de esperança. Recuperam no próximo livro ou no próximo seminário, que sempre traz alguma novidade. Mas em algumas semanas esquecem o que aprenderam, e a esperança vai desaparecendo.

Hilal está surpresa. Ela queria me mostrar algo além do seu talento para o violino, mas tocou em uma área perigosa, a única em que minha tolerância é absolutamente zero. Tatiana deve estar convencida de que sou muito mal-educado, por isso parte em defesa de sua nova amiga:

– Mas as orações não nos aproximam de Deus?

– Vou responder com outra pergunta. Todas essas orações que você diz irão fazer o sol nascer amanhã? Claro que não: o sol nasce porque obedece a uma lei universal. Deus está perto de nós, independentemente das preces que fazemos.

– Você diz que nossas orações são inúteis? – insiste Tatiana.

– De jeito nenhum. Se você não acorda cedo, nunca conseguirá ver o sol nascendo. Se não reza, embora Deus esteja sempre perto, você nunca conseguirá notar Sua presença. Mas, se acredita que só chegará a algum lugar por meio de invocações como essa, então é melhor mudar-se para o deserto de Sonora nos Estados Unidos, ou passar o resto da vida em um *ashram* na Índia. No mundo real, Deus está mais no violino da moça que acabou de rezar.

Tatiana cai em prantos. Tanto eu como Hilal ficamos sem saber o que fazer. Esperamos que ela acabe de chorar e nos conte o que está sentindo.

– Obrigada – diz. – Mesmo que na sua opinião tenha sido inútil, obrigada. Tenho centenas de ferimentos que carrego comigo enquanto sou forçada a agir como se fosse a pessoa mais feliz do mundo. Pelo menos hoje senti que alguém pegava nas minhas mãos e me dizia: você não está só, venha conosco, mostre-me aquilo que conhece. Eu me senti amada, útil, importante.

Ela se vira para Hilal e continua:

– Mesmo quando você decidiu que conhecia esta cidade melhor do que eu, que nasci e vivi aqui toda a minha existência, não me senti desmerecida nem insultada. Eu acreditei, já não estava mais só, alguém ia me mostrar o que não conheço. Realmente nunca tinha visto esta fonte e, agora, cada vez que me sentir mal, virei aqui e pedirei a Deus que me proteja. Sei que as palavras não queriam dizer nada de especial. Já rezei orações semelhantes muitas vezes na minha vida, sem nunca ter sido atendida, e cada vez a fé ia se afastando mais. Mas hoje algo aconteceu, porque vocês eram estrangeiros e não estranhos.

Tatiana ainda não acabou:

– Você é muito mais jovem que eu, não sofreu o que sofri, não conhece a vida, mas tem sorte. Você está apaixonada por um homem, por isso fez com que eu tornasse a me apaixonar pela vida, e a partir daí será mais fácil voltar a me apaixonar por um homem.

Hilal abaixa os olhos. Ela não queria ter ouvido isso. Talvez estivesse em seus planos dizê-lo, mas é outra pessoa que está falando estas palavras na cidade de Novosibirsk, na Rússia, na realidade tal qual a imaginamos – embora seja muito diferente da que Deus criou nesta Terra. Neste momento sua cabeça luta entre as palavras que saem do coração de Tatiana e a lógica que insiste em interromper aquele momento tão especial com um alerta: "Todo mundo está notando. As pessoas no trem estão percebendo."

– Sem maiores explicações, eu acabo de me perdoar e me sinto mais leve – continua Tatiana. – Não entendo o que vieram fazer aqui nem por que pediram que os acompanhasse, mas confirmaram aquilo que eu sentia: as pessoas se encontram quando precisam se encontrar. Eu acabo de me salvar de mim mesma.

Na verdade, sua expressão tinha mudado. A deusa havia se transformado em fada. Ela abre os braços para Hilal, que vai até ela. As duas se abraçam. Tatiana me olha e faz um sinal com a cabeça, pedindo que eu também me aproxime, mas não me movo. Hilal precisa mais daquele abraço do que eu. Queria mostrar o mágico, mostrou o convencional, e o convencional se transformou em mágico porque havia ali uma mulher que foi capaz de transmutar aquela energia e torná-la sagrada.

As duas continuam abraçadas. Olho a água congelada da fonte e sei que tornará a correr um dia, e depois ficará congelada de novo, e voltará a correr outra vez. Assim seja com nossos corações; que obedeçam também ao tempo, mas que nunca fiquem parados para sempre.

Ela tira um cartão de visita da bolsa. Hesita um pouco, mas termina entregando-o a Hilal.

– Adeus – diz Tatiana. – Aqui está meu telefone, mas sei que nunca mais tornarei a vê-los. Talvez tudo o que eu disse agora não passe de um momento de romantismo incurável e, em breve, as coisas voltem a ser como eram antes. Mas foi muito importante para mim.

– Adeus – responde Hilal. – Se conheço o caminho da fonte, também sei chegar ao hotel.

Ela me dá o braço. Andamos pelo frio e, pela primeira vez desde que nos conhecemos, eu a desejo como mulher. Deixo-a na porta do hotel e digo que preciso caminhar um pouco mais, sozinho, pensando na vida.

O CAMINHO DA PAZ

NÃO DEVO. NÃO POSSO. E TENHO QUE dizer para mim mesmo mil vezes: não quero.

Yao tira a roupa e fica apenas de cuecas. Apesar de ter mais de 70 anos, seu corpo é pele e músculos. Eu também tiro a roupa.

Eu preciso disso. Nem tanto pelos dias que passo confinado dentro do trem, mas porque meu desejo agora começou a crescer de maneira incontrolável. Mesmo que só ganhe dimensões gigantescas quando estamos distantes – ela foi para seu quarto, ou eu tenho um compromisso profissional a cumprir –, sei que não falta muito para que eu sucumba a ele. Assim foi no passado, quando nos encontramos pelo que imagino ser a primeira vez; quando se afastava de mim, não conseguia pensar em outra coisa. Quando tornava a estar próxima, visível, palpável, os demônios desapareciam sem que eu precisasse me controlar muito.

Por isso ela precisa ficar aqui. Agora. Antes que seja tarde demais.

Yao veste o quimono, eu faço a mesma coisa. Caminhamos em silêncio para o dojo, o lugar da luta, que ele conseguiu encontrar depois de três ou quatro telefonemas. Há várias pessoas praticando; encontramos um canto livre.

"O Caminho da Paz é vasto e imenso, refletindo o grande desenho que foi feito no mundo visível e invisível. O guerreiro é o trono do Divino e serve sempre a um propósito maior." Morihei Ueshiba disse isso há quase um século, enquanto desenvolvia as técnicas do Aikido.

O caminho do seu corpo é a porta ao lado. Eu irei bater, ela abrirá e não me perguntará exatamente o que desejo; pode ler em meus olhos. Talvez tenha medo. Ou talvez diga: "Pode entrar, eu estava esperando por este momento. Meu corpo é o trono do Divino, serve para manifestar aqui tudo aquilo que já estamos vivendo em outra dimensão."

Yao e eu fazemos a reverência tradicional, e nossos olhos mudam. Agora estamos prontos para o combate.

E, na minha imaginação, ela também abaixa a cabeça como se estivesse dizendo: "Sim, estou pronta, segure-me, agarre meus cabelos."

Yao e eu nos aproximamos, seguramos as golas dos quimonos, mantemos a postura, e o combate começa. Um segundo depois estou no chão. Não posso pensar nela – invoco o espírito de Ueshiba. Ele vem em meu socorro por meio dos seus ensinamentos e consigo voltar ao dojo, ao meu oponente, ao combate, ao Aikido, ao Caminho da Paz.

"Sua mente precisa estar em harmonia com o Universo. Seu corpo precisa acompanhar o Universo. Você e o Universo são apenas um."

Mas a força do golpe me levou para mais perto dela. Eu faço a mesma coisa. Agarro seus cabelos e a atiro na cama, jogo meu corpo em cima do seu, a harmonia com o Universo é isto: um homem e uma mulher se transformando em uma energia só.

Levanto. Faz anos que não luto, minha imaginação está longe daqui, esqueci como me equilibrar direito. Yao espera que me recomponha; vejo sua postura e me lembro da posição em que preciso manter os pés. Coloco-me diante dele de maneira correta, de novo agarramos as golas de nossos quimonos.

De novo não é Yao, mas Hilal que está diante de mim. Mantenho seus braços imóveis, primeiro com as mãos, depois colocando meus joelhos sobre eles. Começo a desabotoar sua blusa.

Volto a voar pelo espaço sem que me dê conta de como aconteceu. Estou no chão, olhando o teto com suas luzes fluorescentes, sem saber como pude deixar minhas defesas tão ridiculamente baixas.Yao estende a mão para me ajudar a levantar, mas eu recuso; posso fazer isso sozinho.

Novamente seguramos as golas dos quimonos. Novamente minha imaginação viaja para longe dali: volto para a cama, a blusa já desabotoada, os seios pequenos com mamilos duros, que eu me curvo para beijar, enquanto ela se debate um pouco – mistura de prazer e de excitação pelo próximo movimento.

– Concentre-se – diz Yao.

– Estou concentrado.

Mentira. Ele sabe disso. Embora não possa ler meus pensamentos, entende que não estou ali. Meu corpo está em fogo por causa da adrenalina que está circulando no sangue, das duas quedas e tudo o que também caiu junto com os golpes que recebi: a blusa, a calça jeans, os tênis que foram atirados para longe. Impossível prever o próximo golpe, mas possível agir com instinto, atenção e...

Yao larga a gola e pega meu dedo, dobrando-o de maneira clássica. Um dedo apenas, e o corpo fica paralisado. Um dedo faz com que todo o resto não funcione. Faço esforço para não gritar, mas vejo estrelas e o dojo de repente parece ter sumido, tamanha a intensidade da dor.

No primeiro momento, a dor parece fazer com que eu me concentre naquilo que devo: o Caminho da Paz. Mas logo dá lugar à sensação de que ela morde meus lábios enquanto nos beijamos. Já não estou com os joelhos sobre seus braços; suas mãos me agarraram com força, as unhas estão cravadas nas minhas costas, escuto seus gemidos em meu ouvido esquerdo. Os dentes afrouxam a pressão, sua cabeça se move e ela me beija.

"Treine seu coração. Essa é a disciplina de que o guerreiro necessita. Se você for capaz de controlá-lo, derrotará o oponente."

É isso que estou tentando fazer. Consigo me desvencilhar do golpe e de novo seguro seu quimono. Ele pensa que estou me sentindo humilhado, já notou que anos de prática desapareceram e, com toda a certeza, irá agora permitir que o ataque.

Li seu pensamento, li o pensamento dela, deixo-me dominar – Hilal me vira na cama, monta em meu corpo, abre meu cinto e começa a desabotoar minha calça.

"O Caminho da Paz é fluido como um rio e, porque ele não resiste a nada, já venceu antes de começar. A arte da paz é imbatível, porque ninguém está lutando contra ninguém, apenas consigo mesmo. Vença você mesmo, e vencerá o mundo."

Sim, é isso que estou fazendo agora. O sangue corre mais rápido que nunca, o suor pinga nos meus olhos e não me deixa enxergar por uma fração de segundo, mas o meu oponente não aproveita sua vantagem. Com dois movimentos de corpo, ele está no chão.

– Não faça isso – digo. – Não sou uma criança que tem que ganhar a luta de qualquer maneira. Meu combate está acontecendo em outro plano neste momento. Não deixe que eu vença sem o mérito ou a alegria de ser o melhor.

Ele entende e se desculpa. Não estamos aqui lutando, mas praticando o Caminho. Ele segura de novo o quimono, eu me preparo para o golpe que vem da direita mas que na última hora muda de direção – uma das mãos de Yao agarra meu braço e o torce de tal maneira que me obriga a me ajoelhar para que não seja quebrado.

Apesar da dor, sei que tudo está melhor. O Caminho da Paz

parece uma luta, mas não é. Ele é a arte de preencher aquilo que está faltando e de esvaziar aquilo que está sobrando. Ali coloco toda a minha energia, e pouco a pouco a imaginação deixa a cama, a moça com seus seios pequenos e mamilos duros que está desabotoando minhas calças e acariciando meu sexo ao mesmo tempo. Neste combate está minha luta comigo mesmo, que eu preciso ganhar de qualquer maneira, mesmo que esteja caindo e levantando um sem-número de vezes. Aos poucos vão desaparecendo os beijos que jamais foram dados, os orgasmos que estavam por acontecer, as carícias depois do sexo violento e selvagem, romântico e sem qualquer limite ou preconceito.

Estou no Caminho da Paz, a minha energia está sendo despejada ali, afluente do rio que não resiste a nada, e por isso consegue seguir seu curso até o final, chegar ao mar como havia planejado.

Levanto-me de novo. Caio de novo. Lutamos quase meia hora, completamente abstraídos das outras pessoas que estão ali, também concentradas no que estão fazendo, em busca da posição correta que irá ajudá-las a encontrar a postura perfeita na vida nossa de cada dia.

No final estamos os dois suados e exaustos. Ele me cumprimenta, eu o cumprimento, e nos dirigimos para o chuveiro. Eu apanhei o tempo todo, mas não há marcas no meu corpo: ferir o oponente é ferir a si mesmo. Controlar a agressão para não machucar o outro é o Caminho da Paz.

Deixo que a água corra pelo meu corpo, lavando tudo aquilo que havia se acumulado e se diluído na minha imaginação. Quando voltar o desejo, porque sei que ele voltará, pedirei a Yao que encontre novamente um lugar para praticarmos o Aikido – nem que seja no corredor do trem, como havíamos imaginado antes – e reencontrarei o Caminho da Paz.

Viver é treinar. Quando treinamos, nos preparamos para o que está adiante. Vida e morte perdem o significado, existem apenas os desafios que são recebidos com alegria e superados com tranquilidade.

★   ★   ★

– Um homem precisa falar com você – diz Yao, enquanto nos vestimos. – Eu disse que conseguiria marcar o encontro, porque devo a ele um favor. Faça isso por mim.

– Mas viajamos amanhã cedo – lembro.

– Falo de nossa próxima parada. Claro, sou apenas um tradutor, se você não quiser, eu digo que está ocupado.

Não é apenas um tradutor, e sabe disso. É um homem que percebe quando preciso de ajuda, mesmo que desconheça a razão.

– Perfeito, farei o que me pede – concordo.

– Quero que saiba que tenho uma vida de experiência em artes marciais – ele começa. – E, ao desenvolver o Caminho da Paz, Ueshiba não estava apenas pensando em subjugar o inimigo físico. Sempre que houvesse uma intenção transparente no caminho do estudante, ele também venceria o inimigo interior.

– Faz muito tempo que não luto.

– Não acredito. Talvez faça muito tempo que não treina, mas o Caminho da Paz continua dentro de você. Uma vez aprendido, jamais nos esquecemos dele.

Eu sabia aonde Yao desejava chegar. Podia ter interrompido a conversa ali, mas deixei que continuasse. Ele era um homem vivido, experiente, treinado pelas adversidades, que sempre sobreviveu apesar de ter sido obrigado a mudar de mundos muitas vezes nesta encarnação. Inútil tentar esconder alguma coisa.

Peço que continue o que estava dizendo.

– Você não estava lutando comigo. Você lutava com ela.

– É verdade.

– Continuaremos treinando então, sempre que a viagem nos permitir. Quero agradecer por aquilo que disse no trem, comparando vida e morte com a passagem de um vagão para o outro e explicando que fazemos isso muitas vezes em nossas vidas. Pela primeira vez desde que perdi minha mulher, tive uma noite de paz. Eu me encontrei com ela nos meus sonhos e vi que estava feliz.

– Eu estava falando para mim também.

Agradeço por ter sido um adversário leal, que não me deixou ganhar uma luta que eu não merecia.

O ANEL DE FOGO

"*É* NECESSÁRIO DESENVOLVER UMA ESTRATÉGIA *que utilize tudo o que está à sua volta. A melhor maneira de se preparar para um desafio é ter à mão uma capacidade infinita de responder.*"

Conseguira finalmente acessar a internet. Precisava recordar tudo o que aprendera sobre o Caminho da Paz.

"*A busca da paz é uma maneira de rezar que termina gerando luz e calor. Esqueça um pouco de si mesmo, saiba que na luz está a sabedoria e no calor reside a compaixão. Ao caminhar por este planeta, procure notar a verdadeira forma dos céus e da terra. Isso será possível se você não se deixar paralisar pelo medo e decidir que todos os seus gestos e atitudes corresponderão àquilo que você pensa.*"

Alguém bate na porta. Estou tão concentrado que custo a entender o que está acontecendo. Meu primeiro impulso é simplesmente não responder, mas imagino que talvez seja algo urgente – quem teria coragem de acordar outra pessoa àquela hora?

Enquanto me encaminho para abri-la, me dou conta de que existe uma pessoa com coragem suficiente para isso.

Hilal está do lado de fora, de camiseta vermelha e calças de pijama. Sem dizer nada, entra em meu quarto e deita-se na minha cama.

Deito-me ao seu lado. Ela chega perto, e eu a abraço.

– Onde você esteve? – pergunta.

"Onde você esteve" é mais que uma frase. Quem pergunta isso também está dizendo "Senti sua falta", "Gostaria de estar com você", "Você precisa me dar satisfação de seus passos".

Eu não respondo, apenas acaricio seus cabelos.

– Telefonei para Tatiana e passamos a tarde juntas – ela responde o que eu não perguntei e tampouco respondi. – É uma mulher triste, e a tristeza contagia. Contou-me que tem uma irmã gêmea, viciada em drogas, incapaz de arranjar um emprego ou de ter uma relação amorosa normal. Mas a tristeza de Tatiana não vem daí, e sim do fato de que ela é bem-sucedida, bonita, desejada pelos homens, tem um trabalho de que gosta e, embora seja divorciada, já encontrou outro homem que está apaixonado por ela. O problema é que, cada vez que vê sua irmã, ela sente um terrível complexo de culpa. Primeiro, porque não pode fazer nada. Segundo, porque sua vitória torna a derrota da irmã mais amarga. Ou seja, jamais estamos felizes, sejam quais forem as circunstâncias. Tatiana não é a única pessoa no mundo a pensar assim.

Eu continuo acariciando seus cabelos.

– Lembra-se do que contei na embaixada, não é verdade? Todos estão convencidos de que tenho um talento extraordinário, sou uma grande violinista e minha carreira será coberta de reconhecimento e glória. A professora lhe disse isso, e acrescentou: "Ela é muito insegura, instável." Não é verdade; domino a técnica, conheço os lugares onde mergulhar para buscar inspiração, mas NÃO nasci para isso e ninguém me convencerá do contrário. O instrumento é minha maneira de fugir da realidade, minha carruagem de fogo que me leva para bem longe de mim mesma, e graças a ele estou viva. Sobrevivi para poder encontrar uma pessoa que iria me redimir de todo o ódio que sinto. Quando li seus livros, entendi que essa pessoa era você. Claro.

– Claro.

– Tentei ajudar Tatiana, dizendo que desde muito jovem tenho me ocupado em destruir todos os homens que se aproximam de mim, apenas porque um deles tentou inconscientemente me destruir. Mas ela não acredita; pensa que sou uma criança. Aceitou se encontrar comigo para ter acesso a você.

Ela se mexe, chega mais perto. Eu sinto o calor do seu corpo.

– Perguntou se podia ir conosco até o lago Baikal. Diz que, embora o trem passe todos os dias em Novosibirsk, ela nunca teve uma razão para embarcar. Agora tem.

Como pensava, agora que estamos juntos na cama eu sinto apenas ternura pela menina ao meu lado. Apago a luz, e o quarto fica iluminado pelas faíscas de aço sendo moldado a fogo em uma construção ao lado.

– Eu disse que não. Que, mesmo que embarque, ela jamais poderá chegar até o vagão onde você está. Os guardas não deixam passar de uma classe para a outra. Ela entendeu que eu não a queria por perto.

– As pessoas aqui trabalham a noite inteira – digo.

– Você está me escutando?

– Estou escutando, mas não estou compreendendo. Uma outra pessoa me procura nas mesmas circunstâncias que você me procurou. Em vez de ajudá-la, você a afasta por completo.

– Porque tenho medo. Medo de que ela se aproxime demais e você perca o interesse por mim. Como não sei exatamente quem sou e o que estou fazendo aqui, tudo isso pode desaparecer de uma hora para outra.

Movo o braço esquerdo, encontro os cigarros, acendo um para mim e um para ela. Coloco o cinzeiro no meu peito.

– Você me deseja? – ela pergunta.

Tenho vontade de dizer: "Sim, eu te desejo quando você está longe, quando é apenas uma fantasia na minha cabeça. Hoje lutei quase uma hora pensando em você, no seu corpo, nas suas pernas, nos seus seios, e a luta consumiu apenas uma parte ínfima dessa energia. Eu sou um homem que amo e desejo minha mulher, e mesmo assim eu te desejo. Não sou o único que te deseja, não sou o único homem casado que deseja outra mulher. Todos nós cometemos adultério em pensamento, pedimos perdão e tornamos a cometê-lo. E não é o medo do pecado que me faz ficar aqui com você em meus braços e não tocar seu corpo. Eu não tenho esse tipo de culpa. Mas existe algo muitíssimo mais importante que fazer amor com você agora. Por causa disso, estou em paz ao seu lado, olhando o quarto do hotel iluminado pela luz das faíscas da construção ao lado."

– Claro que eu te desejo. Muito. Eu sou um homem e você é uma mulher muito atraente. Além do mais, sinto uma imensa ternura por você, crescendo a cada dia. Admiro como você se move com facilidade da mulher para a menina e da menina para a mulher. É como o arco tocando as cordas do violino e criando uma melodia divina.

As brasas dos dois cigarros acesos aumentam. Duas tragadas.

– E por que não me toca?

Apago meu cigarro, ela apaga o seu. Continuo acariciando seus cabelos e forçando a viagem ao passado.

– Preciso fazer uma coisa muito importante para nós dois. Lembra-se do Aleph? Preciso entrar por aquela porta que nos assustou.

– E o que eu devo fazer?

– Nada. Apenas fique ao meu lado.

Começo a imaginar o anel de luz dourada subindo e descendo pelo meu corpo. Começa nos pés, vai até a cabeça e volta. No início é difícil me concentrar, mas pouco a pouco ganha velocidade.

– Posso falar?

Sim, pode. O anel de fogo está além deste mundo.

– Não há nada pior no mundo que ser rejeitada. A sua luz encontra a luz de outra alma, você acha que as janelas vão abrir, o sol vai entrar, as feridas do passado cicatrizarão finalmente. E, de repente, nada do que você imaginou está acontecendo. Talvez eu esteja pagando por tantos homens que fiz sofrer.

A luz dourada, que antes era apenas um esforço da minha imaginação, um exercício clássico e conhecido para voltar às vidas passadas, começa a se mover de maneira independente.

– Não, você não está pagando nada. Eu não estou pagando nada. Lembre-se daquilo que falei no trem: estamos vivendo agora tudo o que está no passado e no futuro. Neste exato momento, em um hotel de Novosibirsk, o mundo está sendo criado e destruído. Estamos redimindo todos os pecados, se esse é o nosso desejo.

Não apenas em Novosibirsk, mas em todos os lugares do Universo, o tempo bate como o gigantesco coração de Deus, expandindo-se e contraindo-se. Ela se aproxima mais, e eu sinto o pequeno coração ao meu lado também batendo, cada vez mais forte.

Como também mais rápido se move o anel dourado em torno do meu corpo. A primeira vez que fiz aquele exercício – logo depois de ler um livro que ensinava "como descobrir os mistérios das vidas passadas" – fui imediatamente projetado para a França, em meados do século XIX, e ali me vi escrevendo um livro a respeito dos mesmos temas sobre os quais ainda escrevo hoje em dia. Descobri meu nome, onde morava, que tipo de pluma estava usando e qual a frase que acabara de completar. O susto foi tão grande que imediatamente voltei ao presente, à praia de Copacabana, ao quarto onde minha mulher dormia placidamente ao meu lado. No dia seguinte pesquisei tudo o que podia sobre quem fora e resolvi, uma semana depois, tornar a encontrar-me comigo mesmo. Não funcionou. E, por mais que tentasse, continuou sem funcionar.

Conversei com J. a respeito. Ele me explicou que existe sempre uma "sorte de principiante", concebida por Deus apenas para provar que é possível; mas logo essa situação se inverte e a jornada passa a ser como qualquer outra. Sugeriu que não fizesse mais isso, a não ser que tivesse algo realmente sério para resolver em uma de minhas vidas passadas; de resto, era pura e simples perda de tempo.

Anos mais tarde fui apresentado a uma mulher na cidade de São Paulo. Médica homeopata, bem-sucedida na vida e com uma profunda compaixão por seus pacientes. Cada vez que nos encontrávamos, era como se eu já a conhecesse antes. Conversamos sobre o assunto e ela me disse que sentia a mesma coisa. Um belo dia estávamos no balcão do meu hotel, contemplando a cidade, quando propus que fizéssemos juntos o exercício do anel. Nós dois fomos projetados para a porta que vi quando eu e Hilal descobrimos o Aleph. Naquele dia a médica se despediu com um sorriso no rosto, mas nunca mais consegui entrar em contato com ela. Não atendia mais meus telefonemas, recusou-se a me receber quando fui até a clínica onde trabalhava, e entendi que pouco adiantava insistir.

A porta, entretanto, estava aberta; o pequeno furo no dique transformara-se em um buraco de onde a água jorrava cada vez com mais força. No decorrer dos anos, tornei a me encontrar com outras três mulheres que me causaram a mesma sensação de que nos conhecíamos – só que não repeti o erro que cometera com a médica e fiz o exercício sozinho. Nenhuma delas jamais soube que eu fora responsável por algo terrível em suas vidas passadas.

O conhecimento do meu erro, porém, jamais me paralisou. Eu estava sinceramente decidido a corrigi-lo. Oito mulheres foram vítimas da tragédia, e eu tinha certeza de que uma delas acabaria me contando exatamente como aquela história terminara. Porque eu sabia quase tudo, menos a maldição que fora lançada sobre mim.

E foi assim que embarquei na Transiberiana e, mais de uma década depois, mergulhei de novo no Aleph. A quinta mulher agora está deitada ao meu lado, falando sobre coisas que já não me interessam, porque o anel de fogo está girando cada vez mais rápido. Não, não quero levá-la comigo até onde nos encontramos antes.

– Só as mulheres acreditam no amor. Os homens, não – diz ela.

– Os homens acreditam no amor – respondo.

Continuo acariciando seus cabelos. As batidas de seu coração começam a diminuir de intensidade. Imagino que seus olhos estejam fechados, ela está se sentindo amada, protegida, e a ideia de rejeição desapareceu tão rápido quanto chegou.

Sua respiração começa a ficar mais lenta. Ela se mexe de novo, mas desta vez é apenas para encontrar uma posição mais confortável. Eu também me movo, tiro o cinzeiro do meu peito, torno a colocá-lo na mesa de cabeceira e a envolvo com meus braços.

O anel dourado agora se move a uma velocidade incrível, indo dos meus pés à cabeça, da cabeça aos meus pés. E de repente sinto que o ar à minha volta se move, como se algo tivesse explodido.

Meus óculos estão embaçados. Minhas unhas, sujas. A vela mal consegue iluminar o ambiente, mas posso ver as mangas da roupa que estou usando: grossa e mal tecida.

Diante de mim, há uma carta. Sempre a mesma carta.

Córdoba, 11 de julho de 1492

Caríssimo,

Poucas armas nos sobraram, entre elas a Inquisição, que tem sido alvo dos mais ferrenhos ataques. A má-fé de alguns e os preconceitos de outros fazem o inquisidor passar por um monstro. Neste momento difícil e delicado, quando esta pretensa Reforma está fomentando a rebelião nos lares e as desordens nas ruas, caluniando este tribunal de Cristo e acusando-o de torturas e monstruosidades, nós somos a autoridade! E a autoridade tem o dever de punir com a pena máxima aqueles que prejudicam gravemente o bem geral, amputando do corpo doente um membro que o contamina, para impedir que outros imitem seu exemplo. É portanto justíssimo que a pena de morte seja aplicada aos que – propagando a heresia com obstinação – fazem com que muitas almas sejam lançadas no fogo do Inferno.

Essas mulheres acham que têm plena liberdade de proclamar o veneno de seus erros, de semear a luxúria e a adoração ao diabo. Bruxas é o que elas são! As penas espirituais nem sempre bastam. A maioria das pessoas é incapaz de compreendê-las. A Igreja deve possuir – e possui – o direito de denunciar o que está errado e de exigir uma atitude radical das autoridades.

Essas mulheres vieram afastar o marido da esposa, o irmão da irmã, o pai dos filhos. Sem dúvida, a Igreja é uma mãe cheia de misericórdia, sempre disposta a perdoar. Nossa única preocupação é conseguir com que se arrependam, a fim de que pos-

samos entregar suas almas já purificadas ao Criador. Como uma arte divina – em que se reconhece a inspirada palavra de Cristo –, gradue seus castigos até que elas confessem seus rituais, suas maquinações, os feitiços que espalharam pela cidade agora transformada em caos e anarquia.

Este ano já conseguimos empurrar os muçulmanos para o outro lado da África, porque fomos guiados pelo braço vitorioso de Cristo. Quase dominavam a Europa, mas a Fé nos ajudou e vencemos todas as batalhas. Os judeus também fugiram, e os que ficaram serão convertidos a ferro e a fogo.

Pior do que os judeus e os árabes foi a traição daqueles que diziam acreditar em Cristo e que nos apunhalaram pelas costas. Mas também eles serão punidos quando menos esperarem – é apenas uma questão de tempo.

Neste momento, precisamos concentrar nossas forças naqueles que, de maneira insidiosa, se infiltram em nosso rebanho, verdadeiros lobos vestidos em pele de cordeiro. Vocês têm a chance de mostrar a todos que o mal jamais passará despercebido porque, se essas mulheres forem bem-sucedidas, a notícia se espalhará, o mau exemplo será dado, o vento do pecado se transformará em furacão – ficaremos enfraquecidos, os árabes voltarão, os judeus se agruparão de novo e 1.500 anos de luta pela Paz de Cristo serão soterrados.

Tem-se dito que a tortura foi instituída pelo tribunal do Santo Ofício. Nada mais falso! Muito pelo contrário: quando o Direito romano admitiu a tortura, a Igreja inicialmente a repeliu. E agora, premidos pela necessidade, nós a adotamos, mas seu uso é LIMITADO! O Papa permitiu – mas não ordenou – que em casos raríssimos se aplique a tortura. Mas essa permissão se restringe exclusivamente aos hereges. Neste tribunal da Inquisição, tão injustamente desacreditado, todo seu código é sábio, honesto e prudente. Depois de qualquer denúncia, sempre per-

mitimos aos pecadores a graça do sacramento da confissão antes que voltem para enfrentar o julgamento nos Céus, onde segredos que não conhecemos serão revelados. Nosso maior interesse é salvar essas pobres almas, e o inquisidor tem o direito de interrogar e de prescrever os métodos necessários para que o culpado CONFESSE. Aqui é que intervém, às vezes, a aplicação da tortura, mas somente da forma que indicamos antes.

No entanto, os adversários da glória divina nos acusam de carrascos sem coração, sem ver que a Inquisição aplica a tortura com uma medida e uma indulgência desconhecidas perante todos os tribunais civis de nosso tempo! A tortura só pode ser empregada UMA vez em cada processo, de modo que espero que não desperdice a única oportunidade que tem. Se não agir de maneira correta, estará desacreditando o tribunal e seremos obrigados a libertar aquelas que só vieram a este mundo para espalhar a semente do pecado. Somos todos fracos, apenas o Senhor é forte. Mas Ele nos torna fortes quando nos dá a honra de lutar pela glória do Seu nome.

Você não tem o direito de errar. Se essas mulheres são culpadas, precisam confessar antes que possamos entregá-las à misericórdia do Pai.

E, embora seja sua primeira vez e seu coração esteja cheio do que julga ser compaixão mas que na verdade não passa de fraqueza, lembre-se de que Jesus não hesitou em chicotear os vendilhões do Templo. O Superior se encarregará de mostrar os procedimentos corretos, de maneira que, quando chegar sua vez de agir no futuro, possa usar o chicote, a roda, o que estiver ao seu alcance, sem que seu espírito se enfraqueça. Lembre-se de que não há nada mais piedoso do que a morte na fogueira. Essa é a forma mais legítima de purificação. O fogo queima a carne mas limpa a alma, que poderá então subir para a glória de Deus!

Seu trabalho é fundamental para que a ordem seja mantida, para que nosso país supere as dificuldades internas, a Igreja reconquiste o poder ameaçado pelas iniquidades e a palavra do Cordeiro volte a ecoar no coração das pessoas. Às vezes é necessário utilizar o medo para que a alma encontre seu caminho. Às vezes é preciso recorrer à guerra para que finalmente possamos viver em paz. Não nos importamos com a maneira como estamos sendo julgados agora, porque o futuro nos fará justiça e reconhecerá nosso trabalho.

Entretanto, mesmo que as pessoas no futuro não compreendam aquilo que fizemos e se esqueçam de que fomos obrigados a ser duros para que todos pudessem viver na mansidão pregada pelo Filho, nós sabemos que a recompensa nos espera no Céu.

As sementes do mal precisam ser arrancadas da terra antes que deitem raízes e cresçam. Ajude seu Superior a cumprir o dever sagrado – sem ódio contra essas pobres criaturas, mas sem piedade com o Maligno.

Lembre-se de que existe um outro tribunal no Céu, e ele irá lhe pedir contas de como você administrou o desejo de Deus na Terra.

F. T.T.,O.P.

ACREDITAR MESMO
SENDO DESACREDITADA

PASSAMOS A NOITE INTEIRA SEM NOS MOVER. Eu acordo com ela em meus braços, exatamente na mesma posição que estávamos antes do anel de ouro. Meu pescoço está doendo pela falta de movimento durante o sono.

– Vamos nos levantar. Precisamos fazer algo.

Ela se vira para o outro lado, dizendo alguma coisa como: "O sol raia muito cedo na Sibéria nesta época do ano."

– Vamos nos levantar. Precisamos sair agora. Vá até o seu quarto, vista-se e nos encontramos lá embaixo.

★ ★ ★

O HOMEM NA PORTARIA DO HOTEL ME deu um mapa e me indicou aonde devo ir. São cinco minutos de caminhada. Ela reclama porque o bufê do café da manhã ainda não estava aberto.

Dobramos duas ruas e logo estamos diante de onde eu precisava chegar.

– Mas isso é... uma igreja!

Sim, uma igreja.

– Detesto acordar cedo. E detesto ainda mais... isso – aponta para a cúpula em forma de cebola pintada de azul, com uma cruz dourada no topo.

As portas estão abertas e algumas senhoras de idade entram na igreja. Olho ao redor e vejo que a rua está completamente deserta, não há trânsito ainda.

– Preciso muito que faça uma coisa por mim.

Finalmente ela dá o primeiro sorriso do dia. Eu estou lhe pedindo algo! Ela é necessária em minha vida!

– É algo que só eu posso fazer?

– Sim, só você. Apenas não me pergunte por que estou lhe pedindo isso.

★ ★ ★

EU A LEVO PELA MÃO ATÉ O INTERIOR. NÃO é a primeira vez que entro em uma igreja ortodoxa. Nunca aprendi direito o que devia fazer, além de acender as finas velas de cera e rezar para os santos e anjos me protegerem. Mesmo assim, sempre me encanto com a beleza desses templos, repetindo o projeto arquitetônico ideal: o teto em forma de céu, a nave central sem nenhum banco, os arcos laterais, os ícones que os pintores trabalharam em ouro, oração e jejum, diante dos quais algumas das senhoras que acabaram de entrar se curvam e beijam o vidro protetor.

Assim como acontece com todo mundo, as coisas começam a se encaixar com perfeição absoluta quando estamos concentrados no que queremos. Apesar de tudo o que experimentei durante a noite, apesar de não ter conseguido passar da carta à minha frente, ainda há tempo até Vladivostok, e meu coração está calmo.

Hilal também parece encantada pela beleza do lugar. Deve ter esquecido que estamos em uma igreja. Vou até uma senhora sentada em um canto, compro quatro velas, acendo três diante da imagem que me parece ser a de São Jorge e peço por mim, pela minha família, pelos meus leitores e pelo meu trabalho.

Levo a quarta vela acesa até Hilal.

– Por favor, faça tudo o que eu pedir. Segure esta vela.

Em um movimento instintivo, ela olha para os lados, procurando ver se alguém está prestando atenção no que estamos fazendo. Deve estar pensando que talvez aquilo não seja respeitoso ou próprio para o lugar onde nos encontramos. Mas no momento seguinte já não está se importando mais. Detesta igrejas e não tem que se comportar como todo mundo.

A chama da vela reflete-se em seus olhos. Abaixo a cabeça. Não sinto a menor culpa, apenas aceitação e uma dor remota, que se manifesta em outra dimensão e que eu preciso acolher.

– Eu a traí. E peço que me perdoe.

– Tatiana!

Coloco meus dedos em seus lábios. Apesar de toda sua força de vontade, de sua luta, de seu talento, não posso me esquecer que tem 21 anos. Eu devia ter construído a frase de outra maneira.

– Não, não foi Tatiana. Por favor, apenas me perdoe.

– Eu não posso perdoar algo que não sei o que é.

– Lembre-se do Aleph. Lembre-se do que sentiu naquele momento. Tente trazer até este lugar sagrado algo que não conhece, mas que está no seu coração. Se for necessário, imagine uma sinfonia que gosta de tocar e deixe que ela a guie até o lugar aonde precisa ir. Só isso interessa agora. Palavras, explicações e perguntas não vão servir para nada, apenas para confundir mais o que já é bastante complexo. Simplesmente me perdoe. Esse perdão precisa vir do fundo da sua alma, essa alma que passa de um corpo para outro e que aprende à medida que viaja no tempo que não existe e no espaço que é infinito.

"Nunca podemos ferir a alma, porque nunca podemos ferir Deus. Mas ficamos presos à memória, e isso faz com que nossa vida seja miserável, mesmo que tenhamos tudo para ser felizes. Oxalá pudéssemos estar por inteiro aqui, como se tivéssemos despertado neste momento no planeta Terra e nos encontrássemos dentro de um templo coberto de ouro. Mas não podemos."

– Não sei por que preciso perdoar o homem que amo. Talvez tenha uma única razão para isso: jamais ter escutado a mesma coisa vinda de sua boca.

Um cheiro de incenso começa a se espalhar. Os padres entram para sua oração matinal.

– Esqueça quem você é neste momento e vá até o lugar onde está aquela que você sempre foi. Neste lugar, encontrará as palavras certas de perdão e me perdoará com elas.

Hilal procura inspiração nas paredes douradas, nas colunas, nas pessoas que estão entrando àquela hora da manhã, nas chamas das velas acesas. Fecha os olhos, talvez seguindo minha sugestão e imaginando as notas de uma música.

– Você não vai acreditar. Parece que estou vendo uma menina... uma menina que já não está mais aqui e quer voltar...

Peço que escute o que a menina tem a dizer.

– A menina perdoa. Não porque virou santa, mas porque já não aguenta mais carregar este ódio. Odiar cansa. Não sei se muda algo no Céu ou na Terra, se salva ou condena minha alma, mas estou exausta e só agora entendo isso. Eu perdoo o homem que quis me destruir quando eu tinha 10 anos. Ele sabia o que estava fazendo, eu não sabia. Mas achei que era minha culpa, odiei a ele e a mim, odiei a todos que se aproximavam e agora minha alma está se libertando.

Não, não era aquilo que eu esperava.

– Perdoe tudo e todos, mas me perdoe – peço. – Inclua-me no seu perdão.

– Eu perdoo tudo e todos, inclusive você, cujo crime desconheço. Perdoo porque eu amo você e porque você não me ama, perdoo porque você me ajuda a estar sempre perto do meu demônio embora eu já não pensasse nele há anos. Perdoo porque você me rejeita e o meu poder se perde, perdoo porque você não entende quem eu sou e o que estou fazendo aqui. Perdoo você e o demônio que tocava meu corpo quando eu ainda não entendia direito o que era a vida. Ele tocava meu corpo, mas ele deformava minha alma.

Ela coloca as mãos em prece. Eu gostaria que o perdão fosse só para mim, mas Hilal estava redimindo todo o seu mundo. E talvez fosse melhor assim.

Seu corpo começa a tremer. Os olhos se enchem de lágrimas.

– Precisa ser aqui? Precisa ser em uma igreja? Vamos para fora, para o céu aberto. Por favor!

– Precisa ser em uma igreja. Um dia faremos isso a céu aberto, mas hoje precisa ser em uma igreja. Por favor, perdoe-me.

Ela fecha os olhos e levanta as mãos para o teto. Uma mulher que entra vê o gesto e faz um sinal de desaprovação com a cabeça: estamos em um lugar sagrado, os ritos são diferentes, devíamos respeitar a tradição. Finjo que não noto e fico aliviado porque Hilal agora está falando com o Espírito, que dita as orações e as verdadeiras leis, e nada neste mundo pode distraí-la.

– Eu me liberto do ódio por meio do perdão e do amor. Entendo que o sofrimento, quando não pode ser evitado, está aqui para me fazer avançar em direção à glória. Compreendo que tudo se entrelaça, todas as estradas se encontram, todos os rios caminham para o mesmo mar. Por isso, eu sou neste momento o instrumento do perdão. Perdão por crimes que foram cometidos, um que eu conheço e outro que desconheço.

Sim, um espírito falava com ela. Eu conhecia esse espírito e essa oração, que tinha aprendido há muitos anos no Brasil. Era de um menino, e não de uma menina. Mas ela repetia as palavras que estavam no Cosmos, sempre esperando para serem usadas quando fosse necessário.

Hilal fala baixo, mas a acústica da igreja é tão perfeita que tudo o que diz parece ecoar pelos quatro cantos.

– *As lágrimas que me fizeram verter, eu perdoo.*
As dores e as decepções, eu perdoo.
As traições e mentiras, eu perdoo.
As calúnias e as intrigas, eu perdoo.
O ódio e a perseguição, eu perdoo.
Os golpes que me feriram, eu perdoo.
Os sonhos destruídos, eu perdoo.
As esperanças mortas, eu perdoo.
O desamor e o ciúme, eu perdoo.
A indiferença e a má vontade, eu perdoo.
A injustiça em nome da justiça, eu perdoo.
A cólera e os maus-tratos, eu perdoo.
A negligência e o esquecimento, eu perdoo.
O mundo, com todo o seu mal, eu perdoo.

Ela abaixa os braços, abre os olhos e coloca as mãos no rosto. Eu me aproximo para abraçá-la, mas ela faz um sinal com as mãos:

– Não terminei ainda.

Torna a fechar os olhos e voltar o rosto para cima.

– Eu perdoo também a mim mesma. Que os infortúnios do passado não sejam mais um peso em meu coração. No lugar da mágoa e do ressentimento, coloco a compreensão e o entendimento. No lugar da revolta, coloco a música que sai do meu violino. No lugar da dor, coloco o esquecimento. No lugar da vingança, coloco a vitória.

– *Serei naturalmente capaz de amar acima de todo desamor,*
De doar mesmo que despossuída de tudo,

De trabalhar alegremente mesmo que em meio a todos os impedimentos,

De estender a mão ainda que em mais completa solidão e abandono,

De secar lágrimas ainda que aos prantos,

De acreditar mesmo que desacreditada.

Ela abre os olhos, coloca as mãos na minha cabeça e diz com toda a autoridade que vem do Alto:

– Assim seja. Assim será.

★ ★ ★

Um galo canta ao longe. É o sinal. Pego sua mão e saímos, olhando a cidade que começa a despertar. Ela está um pouco surpresa com tudo o que disse, eu sinto que o perdão foi o momento mais importante da minha viagem até aquele momento. Mas não é o último passo, eu preciso saber o que acontece depois que termino de ler a carta.

Chegamos a tempo de tomar café com o resto do grupo, preparar as malas e seguir em direção à estação de trem.

– Hilal dormirá na cabine vazia em nosso vagão – digo.

Ninguém comenta nada. Imagino o que estão pensando e não me dou ao trabalho de explicar que não é absolutamente nada daquilo.

– *Korkmaz Igit* – fala Hilal.

Pela expressão de surpresa de todos – inclusive do meu intérprete –, aquilo não devia ser russo.

– *Korkmaz Igit* – repete. – Em turco, o temido sem destemor.

AS FOLHAS DO CHÁ

TODOS PARECEM MAIS ACOSTUMADOS COM A VIAGEM. A mesa é o centro deste universo e nos reunimos todos os dias em torno dela para o café da manhã, o almoço, o jantar, as conversas sobre a vida e sobre as expectativas do que nos espera adiante. Hilal agora está instalada no mesmo vagão, participa das refeições, usa meu banheiro para tomar sua ducha diária, toca violino compulsivamente durante o dia e participa cada vez menos das discussões.

Hoje estamos falando dos xamãs do lago Baikal, nossa próxima parada. Yao explica que gostaria muito que eu conhecesse um deles.

– Veremos quando eu chegar lá.

Tradução: "Não estou muito interessado."

Mas não acredito que se deixe desestimular por isso. Nas artes marciais, um dos princípios mais conhecidos é o da não resistência. Bons lutadores sempre usam a energia e o golpe contra quem o desferiu. Assim, quanto mais eu gastar minha energia em palavras, menos estarei convencido do que digo, e em breve será fácil me dominar.

– Estou me lembrando da nossa conversa antes de chegarmos a Novosibirsk – diz a editora. – Você dizia que o Aleph era um ponto fora da gente, mas que, quando duas pessoas estão apaixonadas, conseguem trazer este ponto para qualquer lugar. Os xamãs acreditam que são dotados de poderes especiais e que só eles conseguem ter esse tipo de visão.

– Se falamos da Tradição mágica, a resposta é: "Este ponto está do lado de fora." Se falamos da tradição humana, pessoas apaixonadas podem em certos momentos, mas só em ocasiões muito especiais, experimentar o Todo. Na vida real costumamos nos ver como seres diferentes, mas o Universo inteiro é uma coisa só, uma mesma alma. Entretanto, para provocar o Aleph dessa maneira é preciso um fato muito intenso: um grande orgasmo, uma grande perda, um conflito que atinge seu ponto máximo, um momento de êxtase diante de algo de raríssima beleza.

– Conflito é o que não falta – diz Hilal. – Vivemos cercados de conflitos, como neste vagão.

A moça que andava quieta parece ter voltado ao início da viagem, provocando uma situação que já tinha sido resolvida. Conquistou o terreno e deseja provar seu recém-adquirido poder. A editora sabe que as palavras foram dirigidas a ela.

– Conflitos são para almas que não têm muito discernimento – responde, procurando generalizar, mas atirando a flecha no alvo. – O mundo está dividido entre os que me entendem e os que não me entendem. No segundo caso, eu simplesmente deixo que essas pessoas se torturem procurando ganhar minha simpatia.

– Engraçado, sou muito parecida – rebate Hilal. – Sempre me imaginei como sou e sempre consegui chegar aonde queria. Um exemplo claro é que estou agora dormindo neste vagão.

Yao se levanta. Não deve estar com paciência para aturar esse tipo de conversa.

O editor me olha. Que espera que eu faça? Tome partido?

– Você não tem ideia do que está falando – diz a editora, agora olhando diretamente para Hilal. – Também sempre achei que estava preparada para tudo, até que nasceu meu filho. O mundo pareceu desabar na minha cabeça, me senti fraca, insignificante, incapaz de protegê-lo. Sabe quem se acha capaz de tudo? A criança. Ela confia, não tem medo, acredita em seu próprio poder e consegue exatamente o que está querendo.

"Mas a criança cresce. Começa a entender que não é tão poderosa assim, que para sobreviver depende dos outros. Então ama, espera ser retribuída e, à medida que a vida vai avançando, deseja cada vez mais ser correspondida. Está disposta a sacrificar tudo, inclusive seu poder, para receber em troca o mesmo amor que entrega. E terminamos onde estamos hoje: adultos fazendo qualquer coisa para sermos aceitos e queridos."

Yao havia voltado, mas estava em pé, equilibrando-se com uma bandeja de chá e cinco canecas.

– Por isso perguntei sobre o Aleph e o amor – continua a editora. – Não estava falando de um homem. Havia momentos em que eu olhava meu filho dormindo e podia ver tudo o que estava acontecendo no mundo: o lugar de onde ele tinha vindo, os lugares que conheceria, as provas que precisava enfrentar para chegar aonde eu sonhava que chegasse. Ele foi crescendo, o amor continuou com a mesma intensidade, mas o Aleph desapareceu.

Sim, ela entendera o Aleph. Suas palavras foram seguidas de um silêncio respeitoso. Hilal ficou completamente desarmada.

– Estou perdida – admite Hilal. – Parece que as razões que eu tinha para chegar aonde estou agora desapareceram. Posso saltar na próxima estação, voltar para Ekaterinburg, dedicar-me o resto da vida ao violino e continuar sem entender tudo isso. E, no dia da minha morte, perguntarei: o que estava fazendo ali?

Eu toco em seu braço.

– Venha comigo.

Eu ia me levantar para levá-la até o Aleph, fazer com que descobrisse por que decidira cruzar a Ásia de trem, preparar-me para qualquer reação e aceitar o que ela decidisse. Lembrei--me da médica que nunca mais tornara a ver – com Hilal não seria diferente.

– Um minuto – diz Yao.

Ele pede que nos sentemos de novo, distribui as canecas e coloca o pote de chá no centro da mesa.

– Enquanto morei no Japão, aprendi a beleza das coisas simples. E a coisa mais simples e mais sofisticada que experimentei foi beber chá. Levantei-me com o único objetivo de fazer isto: explicar que, apesar de todos os nossos conflitos, todas as nossas dificuldades, mesquinhez e generosidade, podemos adorar o que é simples. Os samurais deixavam suas espadas do lado de fora, entravam na sala, sentavam-se com a postura correta e bebiam chá em uma cerimônia rigorosamente elaborada. Durante aqueles breves minutos, eram capazes de esquecer a guerra e dedicar-se apenas a adorar o belo. Façamos isso.

Ele enche cada uma das canecas. Aguardamos em silêncio.

– Fui procurar o chá porque vi dois samurais prontos para o combate. Mas voltei, e os honrados guerreiros tinham sido substituídos por duas almas que se compreendiam sem que nada disso fosse necessário. Mesmo assim, vamos beber juntos. Vamos concentrar nosso esforço na tentativa de atingir o Perfeito por meio dos gestos imperfeitos da vida cotidiana. A verdadeira sabedoria consiste em respeitar as coisas simples que fazemos, pois elas podem nos transportar até onde precisamos.

Tomamos respeitosamente o chá que Yao nos serviu. Agora que fui perdoado, posso sentir o gosto das folhas quando ainda eram jovens. Posso envelhecer com elas, secar ao sol, ser colhido por mãos calejadas, transformar-me em bebida e criar harmonia ao meu redor. Nenhum de nós tem pressa; durante

esta viagem estamos destruindo e reconstruindo constantemente quem somos.

Quando terminamos, torno a convidar Hilal para que me
siga. Ela merece saber e decidir por si mesma.

Estamos no cubículo que dá para as portas do trem. Um homem mais ou menos da minha idade conversa com uma senhora justamente no lugar onde está o Aleph. Por causa da energia daquele ponto, é possível que fiquem ali por algum tempo.

Aguardamos um pouco. Chega uma terceira pessoa, acende um cigarro e se junta aos dois.

Hilal faz menção de voltar à sala:

– Este espaço é apenas para a gente. Eles não deviam estar aqui, mas no vagão anterior.

Peço que não faça nada. Podemos esperar.

– Por que a agressão, quando ela queria fazer as pazes? – pergunto.

– Não sei. Estou perdida. A cada parada, a cada dia, estou mais perdida. Achei que tinha uma necessidade imperiosa de acender o fogo na montanha, estar ao seu lado, ajudá-lo a cumprir uma missão que desconheço. Imaginava que ia reagir como reagiu: fazendo todo o possível para que isso não acontecesse. E rezei para que fosse capaz de superar os obstáculos, aguentar as consequências, ser humilhada, ofendida, rejeitada e olhada com desprezo, tudo isso em nome de um amor que não imaginava existir, mas que existe.

"E cheguei finalmente bem perto: o quarto ao lado, vazio porque Deus quis que a pessoa que o ocuparia desistisse em cima da hora. Não foi ela quem tomou a decisão: veio do Alto, tenho certeza. Entretanto, pela primeira vez desde que entrei neste trem rumo ao oceano Pacífico, não tenho vontade de seguir adiante."

Chega mais uma pessoa e se une ao grupo. Desta vez, trouxe três latas de cerveja. Pelo visto, a conversa ali ainda vai durar muito.

– Sei do que você está falando. Acha que chegou ao fim, mas não chegou. E tem toda a razão, precisa entender o que está fazendo aqui. Você veio para me perdoar e eu gostaria de lhe mostrar por quê. Mas palavras matam, apenas a experiência poderá fazer com que você compreenda tudo. Melhor dizendo, com que nós dois possamos compreender tudo, porque eu também desconheço o fim, a última linha, a última palavra desta história.

– Vamos esperar que eles saiam para entrarmos no Aleph.

– Foi isso que pensei, mas eles não vão sair tão cedo, justamente por causa do Aleph. Embora não estejam conscientes, experimentam uma sensação de euforia e de plenitude. Enquanto observava esse grupo diante de nós, me dei conta de que talvez eu precise guiá-la, e não apenas lhe mostrar tudo de uma vez.

"Esta noite venha até meu quarto. Agora terá problemas em dormir, porque este vagão joga muito. Mas feche os olhos, relaxe e fique ao meu lado. Deixe que eu a abrace como a abracei em Novosibirsk. Vou tentar ir sozinho até o fim da história e lhe direi exatamente o que se passou."

– É tudo o que eu gostaria de escutar. Um convite para ir ao seu quarto. Por favor, não me rejeite de novo.

A QUINTA MULHER

– NÃO DEU TEMPO DE LAVAR meu pijama.

Hilal está usando apenas uma camiseta que acabou de me pedir emprestada e que cobre seu corpo, deixando as pernas à mostra. Não consigo ver se está usando mais alguma coisa por baixo. Ela entra debaixo da coberta.

Acaricio seus cabelos. Preciso usar de todo o tato e toda a delicadeza do mundo, dizer tudo e não dizer nada.

– Tudo o que eu preciso neste momento é um abraço. Um gesto tão antigo como a humanidade, e que significa muito mais do que o encontro de dois corpos. Um abraço quer dizer: você não me ameaça, não tenho medo de estar tão perto, posso relaxar, me sentir em casa, estou protegido e alguém me compreende. Diz a tradição que, cada vez que abraçamos alguém com vontade, ganhamos um dia de vida. Por favor, faça isso agora – peço a ela.

Coloco minha cabeça em seu peito, e ela me aninha em seus braços. Escuto de novo o coração batendo rápido, percebo que não está usando sutiã.

– Eu gostaria muito de contar o que vou tentar fazer, mas não consigo. Nunca cheguei até o fim, até o ponto em que as coisas são resolvidas e explicadas. Sempre paro no mesmo momento, quando estamos saindo.

– Quando estamos saindo de onde? – pergunta Hilal.

– Quando todos estão saindo da praça, não me peça para explicar melhor. São oito mulheres e uma delas me diz algo que não consigo escutar. Nesses 20 anos já estive com quatro delas, nenhuma conseguiu me levar até o desfecho. Você é a quinta que encontro. Como esta viagem não foi por acaso, como Deus não joga dados com o Universo, eu entendo por que o conto sobre o fogo sagrado fez com que viesse até mim. Só compreendi quando mergulhamos juntos no Aleph.

– Preciso de um cigarro. Seja mais claro. Achei que queria estar comigo.

Sentamos na cama e acendemos um cigarro cada um.

– Adoraria ser mais claro, contar tudo, desde que pudesse entender o que acontece depois da carta, que é a primeira coisa a aparecer. Em seguida, escuto a voz do meu superior me dizendo que as oito mulheres nos esperam. E sei que, no final, alguma de vocês me diz algo, que pode ser uma bênção ou uma maldição.

– Você está falando de vidas passadas? De uma carta?

Era isso que eu queria que ela compreendesse. Desde que não me peça para explicar agora de que vida estou falando.

– Tudo está aqui no presente. Ou estamos nos condenando, ou estamos nos salvando. Ou, então, estamos nos condenando e nos salvando a cada minuto, sempre mudando de lado, saltando de um vagão para outro, de um mundo paralelo para outro. Você precisa acreditar.

– Eu acredito. Acho que sei do que está falando.

Mais um trem passa em sentido contrário. Vemos as janelas iluminadas em rápida sucessão, o barulho, o deslocamento de ar. O vagão joga mais do que de costume.

– Então eu preciso ir agora para o outro lado, que se encontra no mesmo "trem" chamado tempo e espaço. Não é difícil:

basta imaginar um anel de ouro subindo e descendo no seu corpo, lentamente no início e em seguida fazendo com que ganhe velocidade. Quando estávamos nesta mesma posição em Novosibirski, o processo funcionou com uma nitidez incrível. Por isso gostaria de repetir o que fizemos ali: você me abraçava, eu a abraçava, e o anel me jogou no passado sem muito esforço.

– Basta isso? Imaginarmos um anel?

Os meus olhos estão fixos no computador em cima da pequena mesa em meu quarto. Levanto-me e o trago para a cama.

– Achamos que aqui estão fotos, palavras, imagens, uma janela para o mundo. Mas na verdade o que existe atrás de tudo o que vemos em um computador é uma sucessão de "0" e "1". O que os programadores chamam de linguagem binária.

"Também somos obrigados a criar uma realidade visível em torno de nós, ou a raça humana jamais teria sobrevivido aos predadores. Inventamos algo chamado 'memória', como existe em um computador. A memória serve para nos proteger do perigo, permitir que possamos viver em sociedade, encontrar alimento, crescer, transferir para a próxima geração tudo o que aprendemos. Mas não é a matéria principal da vida."

Torno a colocar o computador na mesa e volto para a cama.

– Esse anel de fogo é apenas um artifício para nos libertarmos da memória. Li alguma coisa a respeito, mas não lembro quem escreveu. Fazemos isso de maneira inconsciente todas as noites quando sonhamos: vamos ao nosso passado recente ou remoto. Acordamos pensando que vivemos verdadeiros absurdos durante o sonho, mas não é assim. Estivemos em outra dimensão, onde as coisas não acontecem exatamente como aqui. Achamos que nada daquilo faz sentido porque ao despertar estamos de volta a um mundo organizado pela "memória", a nossa capacidade de compreender o presente. O que vimos é rapidamente esquecido.

– É mesmo tão simples voltar a uma vida passada ou entrar em outra dimensão?

– É simples quando sonhamos e também quando provocamos isso, mas no segundo caso é altamente desaconselhado. Depois que o anel possui seu corpo, sua alma se desprende e entra em uma terra de ninguém. Se não souber aonde vai, cairá em um sono profundo e pode ser carregada para zonas onde não será bem-vinda, não aprenderá nada, ou trará problemas do passado para o momento presente.

Terminamos os cigarros. Eu coloco o cinzeiro na cadeira que serve de mesa de cabeceira e peço que torne a me abraçar. Seu coração está mais disparado que nunca.

– Eu sou uma dessas oito mulheres?

– Sim. Todas as pessoas com quem tivemos problemas no "passado" aparecem de novo em nossas vidas, naquilo que os místicos chamam de Roda do Tempo. A cada encarnação estamos mais conscientes e esses conflitos vão sendo solucionados. Quando todos os conflitos de todas as pessoas deixarem de existir, a raça humana entrará em um novo estágio.

– Por que criamos conflitos no passado? Apenas para solucioná-los mais adiante?

– Não, para que a humanidade possa evoluir em direção a um ponto que não sabemos exatamente qual é. Imagine a época em que todos éramos parte de um caldo orgânico que cobria o planeta. Durante milhões de anos as células se reproduziram da mesma maneira até que uma delas mudou. Naquele momento, bilhões de outras células disseram: "Está errada, entrou em choque com todas nós."

"Entretanto, essa mutação fez com que as que estavam ao seu lado também mudassem. E, de erro em erro, o caldo inicial foi se transformando em amebas, peixes, animais e homens. O conflito foi a base da evolução."

Ela acende outro cigarro.

– E por que precisamos solucioná-los agora?

– Porque o Universo, o coração de Deus, se contrai e se expande. Os alquimistas tinham como seu moto principal "*Solve et coagula*". Dissolve e concentra. Não me pergunte a razão disso: não sei.

"Hoje à tarde você e minha editora discutiram. Graças a esse enfrentamento, cada uma pôde acender uma luz que a outra não estava vendo. Vocês se dissolveram e se concentraram de novo, e todos nós que estávamos ao redor lucramos com isso. Também poderia acontecer de o resultado final ser o oposto: um confronto sem resultados positivos. Neste caso, ou o assunto não seria tão relevante ou teria que ser resolvido mais tarde. Não ficaria sem solução, porque a energia do ódio entre duas pessoas contagiaria o vagão inteiro. Este vagão é uma metáfora da vida."

Ela não está muito interessada em teorias.

– Comece. Eu vou com você.

– Não, você não vai comigo. Mesmo que eu esteja nos seus braços, você não sabe aonde estou indo. Não faça isso. Prometa que não fará isso, que não imaginará o anel. Mesmo que eu não consiga a solução, direi onde a encontrei antes. Não sei se foi a única vez que isso aconteceu em todas as minhas vidas, mas é a única de que tenho certeza.

Ela não responde.

– Me prometa – insisto. – Hoje eu tentei levá-la até o Aleph, mas havia gente ali. Isso significa que tenho que ir lá antes de você.

Ela abre os braços e faz menção de se levantar. Eu a mantenho na cama.

– Vamos até o Aleph agora – diz. – Ninguém deve estar ali a esta hora.

– Por favor, acredite em mim. Volte a me abraçar, procure não se mover muito mesmo que esteja com dificuldade de dormir. Deixe-me ver primeiro se consigo a resposta. Acenda o fogo sagrado na montanha, porque vou para um lugar frio como a morte.

– Eu sou uma dessas mulheres – afirma Hilal.

Sim, eu repito que sim. Estou escutando seu coração.

– Acenderei o fogo sagrado e ficarei aqui para lhe dar apoio. Vá em paz.

Imagino o anel. O perdão me deixa mais livre, em pouco tempo ele está circulando sozinho em torno do meu corpo, me empurrando para o lugar que conheço e aonde não quero ir, mas ao qual preciso voltar.

AD EXTIRPANDA

LEVANTO OS OLHOS DA CARTA E OBSERVO o casal bem-vestido à minha frente. O homem em sua camisa de linho imaculadamente branca, coberta por um casaco de veludo com as mangas bordadas a ouro. A mulher de blusa branca também, com mangas longas e gola alta bordada a ouro emoldurando seu rosto preocupado. Além disso, usa corpete de lã com fios de pérola e um casaco de pele jogado sobre o ombro. Eles conversam com meu superior.

– Somos amigos há anos – diz ela, com um sorriso forçado no rosto, como se quisesse nos convencer de que tudo continua igual, aquilo não passa de um mal-entendido. – O senhor a batizou, colocando-a no caminho de Deus.

E virando-se para mim:

– Você a conhece melhor do que todo mundo. Brincaram juntos, cresceram juntos e só se afastaram quando você escolheu o sacerdócio.

O inquisidor está impassível.

Eles me pedem com os olhos que os ajude. Muitas vezes dormi em sua casa e comi de sua comida. Depois que meus pais morreram por causa da peste, foram eles que tomaram conta de mim. Faço um sinal afirmativo com a cabeça. Embora cinco anos mais velho que ela, sim, eu a conheço melhor do que ninguém: brincamos juntos, crescemos juntos e, antes que eu entrasse para a Ordem dos Dominicanos, ela era a mulher com quem gostaria de passar o resto de meus dias.

– Nem estamos falando de suas amigas – é a vez do pai se dirigir ao inquisidor, também com um sorriso que expressa falsa confiança. – Não sei o que fazem ou andaram fazendo. Penso que a Igreja tem o dever de acabar com a heresia, assim como acabou com a ameaça dos mouros. Devem ser culpadas, porque a Igreja jamais é injusta. Mas os senhores sabem que nossa filha é inocente.

Na véspera, como acontecia todos os anos, os superiores da Ordem visitaram a cidade. Mandava a tradição que todos deviam se reunir na praça principal. Não eram obrigados a fazer isso, mas quem não aparecesse se tornava automaticamente suspeito. Famílias de todas as classes sociais se aglomeraram diante da igreja, e um dos superiores leu um documento explicando a razão da visita: descobrir os hereges e conduzi-los à justiça terrena e divina. Em seguida, veio o momento de misericórdia: aqueles que dessem um passo adiante e confessassem espontaneamente o desrespeito aos dogmas divinos seriam submetidos a um castigo brando. Apesar do terror em todos os olhos, ninguém se moveu.

Era então a vez de pedir que os vizinhos denunciassem qualquer atividade suspeita. Foi quando um lavrador, conhecido por espancar suas filhas, tratar mal seus empregados, mas comparecer todos os domingos à missa, como se fosse realmente um dos cordeiros de Deus, veio até o Santo Ofício e começou a apontar cada uma das meninas.

★ ★ ★

O INQUISIDOR VIRA-SE PARA MIM, FAZ um sinal com a cabeça e eu lhe estendo a carta. Ele a coloca junto a uma pilha de livros.

O casal aguarda. Apesar do frio, a fronte do homem poderoso está coberta de suor.

– Ninguém de nossa família se moveu porque sabíamos que somos tementes a Deus. Não vim aqui para salvar todas elas, quero apenas minha filha de volta. E prometo por tudo o que é sagrado que assim que atingir os 16 anos será entregue a um mosteiro. Seu corpo e sua alma não terão outro trabalho neste mundo senão a devoção terrena à Majestade Divina.

– Esse homem as acusou diante de todos – diz finalmente o inquisidor. – Se fosse mentira, não se arriscaria à desonra diante da população. Normalmente estamos acostumados com denúncias anônimas, já que nem sempre encontramos pessoas tão valentes assim.

Contente porque o inquisidor quebrou o silêncio, o homem poderoso e bem-vestido agora acredita que há uma possibilidade de diálogo.

– Foi um inimigo, o senhor sabe disso. Eu o mandei embora do trabalho porque olhava com cobiça para minha filha. É pura vingança, nada tem a ver com nossa fé.

É verdade, gostaria de dizer naquele momento. Não apenas por ela, mas por todas as outras sete acusadas. Correm boatos de que o tal lavrador já teve relações sexuais com duas de suas filhas – um pervertido por natureza, que só encontra prazer em meninas.

O inquisidor retira um livro de uma pilha sobre a mesa.

– Quero acreditar que sim. E estou disposto a provar isso, mas antes preciso seguir os procedimentos corretos. Se for inocente, ela nada terá a temer. Nada, absolutamente nada será feito além do que está escrito aqui. Depois de muitos excessos no início, agora estamos mais organizados e cuidadosos: hoje em dia ninguém morre mais em nossas mãos.

Estende o livro: *Directorium Inquisitorum*. O homem pega o

volume, mas não o abre. Mantém as mãos tensas, agarradas na capa, como se pudesse esconder de todos que está tremendo.

– Nosso código de conduta – continua. – As raízes da fé cristã. A perversidade dos hereges. E como devemos distinguir uma coisa da outra.

A mulher leva a mão até a boca e morde os dedos, controlando o medo e o choro. Já percebeu que não irão conseguir nada.

– Não sou eu quem irá dizer ao tribunal que a vi, quando criança, conversando com o que dizia serem "amigos invisíveis". É fato conhecido na cidade que ela e suas amigas se reúnem no bosque ao lado e colocam seus dedos em um copo, procurando movê-lo com a força do pensamento. Quatro delas já confessaram que estavam procurando entrar em contato com os espíritos dos mortos, que lhes revelariam o futuro. E que são dotadas de poderes demoníacos, como a capacidade de conversar com o que chamam de "forças da natureza". Deus é a única força e o único poder.

– Mas toda criança faz isso!

Ele levanta, vem até minha mesa, pega outro livro e começa a folheá-lo. Apesar da amizade que o une àquela família – única razão para aceitar este encontro –, está impaciente para começar e terminar seu trabalho antes que chegue o domingo. Eu procuro confortar o casal com meus olhos, porque estou diante de um superior e não devo manifestar minha opinião.

Mas eles ignoram minha presença: estão inteiramente concentrados em cada movimento do inquisidor.

– Por favor – repete a mãe, agora sem tentar ocultar o desespero. – Poupe nossa filha. Se as amigas confessaram, é porque foram submetidas a...

O homem segura a mão da mulher, interrompendo sua frase. Mas o inquisidor a completa:

– ... tortura. E vocês, que conheço há tanto tempo, com

quem já discuti todos os aspectos da Teologia, não sabem que, se Deus está com elas, jamais permitiria que sofressem ou confessassem o que não existe? Acham que um pouco de dor seria suficiente para arrancar as piores ignomínias de suas almas? A tortura foi aprovada há 300 anos pelo Santo Papa Inocêncio IV em sua bula *Ad Extirpanda*. Não fazemos isso por prazer; o que praticamos é uma prova de fé. Quem não tem o que confessar será confortado e protegido pelo Espírito.

As roupas vistosas do casal contrastam de maneira agressiva com a sala despojada de qualquer luxo além de uma lareira acesa para esquentar um pouco o ambiente. Um raio de sol entra por uma abertura na parede de pedra e se reflete nas joias que a mulher traz em seus dedos e em seu pescoço.

– Não foi a primeira vez que o Santo Ofício passou pela cidade – continua o inquisidor. – Nas outras visitas, nenhum de vocês se queixou ou achou injusto o que estava acontecendo. Muito pelo contrário, em um dos nossos jantares, aprovaram essa prática que já dura três séculos, dizendo que era a única maneira de evitar que as forças do mal se espalhassem. Cada vez que purificávamos a cidade de seus hereges, vocês aplaudiam. Entendiam que não somos carrascos, estamos apenas em busca da verdade, que nem sempre é transparente como deveria ser.

– Mas...

– Mas era com os outros. Com aqueles que vocês julgavam que mereciam a tortura e a fogueira. Certa vez – ele aponta para o homem –, você denunciou uma família. Disse que a mãe costumava praticar artes mágicas para que seu gado morresse. Conseguimos comprovar a verdade, foram condenados e...

Ele aguarda um pouco antes de completar a frase, como saboreando as palavras.

– ... eu o ajudei a comprar por quase nada as terras daquela família, que eram vizinhas às suas. Sua piedade foi recompensada.

Vira-se para mim:

– *Malleus Maleficarum.*

Vou até a estante que se encontra atrás de sua mesa. É um homem bom, profundamente convencido daquilo que faz. Não está ali exercendo uma vingança pessoal, mas trabalhando em nome de sua fé. Embora jamais confesse seus sentimentos, muitas vezes o vi com o olhar distante, perdido no infinito, como se perguntando a Deus por que colocou um fardo tão grande em suas costas.

Entrego-lhe o grosso volume encadernado em couro, com o título marcado a fogo na capa.

– Está tudo aí. *Malleus Maleficarum.* Uma longa e detalhada pesquisa sobre a conspiração universal para trazer de volta o paganismo, sobre as crenças na natureza como única salvadora, as superstições que afirmam existir vidas passadas, a condenada astrologia e a ainda mais condenada ciência que se opõe aos mistérios da fé. O demônio sabe que não pode trabalhar sozinho, precisa de suas feiticeiras e seus cientistas para seduzir e corromper o mundo.

"Enquanto os homens morrem nas guerras para defender a Fé e o Reino, as mulheres começam a achar que nasceram para governar, e os covardes que se acham sábios vão buscar em instrumentos e teorias aquilo que poderiam muito bem encontrar na Bíblia. Cabe a nós impedir que isso aconteça. Não fui eu quem trouxe essas meninas até aqui. Sou encarregado apenas de descobrir se são inocentes ou se preciso salvá-las."

Levanta-se e me pede que o acompanhe.

– Preciso ir. Se sua filha é inocente, ela voltará para casa antes que nasça um novo dia.

A mulher se arroja no solo e se ajoelha aos seus pés.

– Por favor! Você a tomou nos braços quando era criança!

O homem tenta sua última cartada.

– Doarei toda as minhas terras e toda a minha fortuna à

Igreja, aqui e agora. Entregue-me sua pena, um papel, e eu assino. Quero sair de mãos dadas com minha filha.

Ele afasta a mulher, que continua caída, o rosto entre as mãos, soluçando compulsivamente.

– A Ordem dos Dominicanos foi escolhida justamente para evitar o que estava acontecendo. Os antigos inquisidores podiam ser facilmente corrompidos por dinheiro. Mas nós sempre mendigamos e continuaremos mendigando. O dinheiro não nos seduz; pelo contrário, ao fazer esta oferta escandalosa, está apenas piorando a situação.

O homem me agarra pelos ombros.

– Você era como nosso filho! Depois que seus pais morreram, nós o acolhemos em nossa casa, evitando que continuasse sendo maltratado por seu tio!

– Não se preocupe – sussurro em seu ouvido, com medo que o inquisidor esteja me escutando. – Não se preocupe.

Mesmo que tenha me acolhido apenas para que eu trabalhasse como um escravo em suas propriedades. Mesmo que também ele tivesse me espancado e insultado quando fazia qualquer coisa errada.

Eu me desvencilho e caminho para a porta. O inquisidor volta-se uma última vez para o casal:

– Um dia vocês me agradecerão por ter salvado sua filha do castigo eterno.

– Tirem-lhe a roupa. Que fique completamente nua.

O inquisidor está sentado diante de uma imensa mesa com uma série de cadeiras vazias ao seu lado.

Dois guardas avançam, mas a moça faz um sinal com a mão.

– Não preciso deles, posso fazer isso sozinha. Apenas não me machuquem, por favor.

Lentamente, tira a saia de veludo com bordados de ouro, tão elegante como a que sua mãe vestia. Os vinte homens naquela sala fingem não dar importância, mas sei o que está se passando pela cabeça deles. Lascívia, luxúria, cobiça, perversão.

– A blusa.

Tira a blusa que ontem devia ser branca e hoje está suja e amarrotada. Seus gestos parecem estudados, lentos demais, mas sei o que está pensando: "Ele vai me salvar. Ele vai parar isso agora." Eu não digo nada, apenas pergunto a Deus em silêncio se tudo aquilo está certo – começo a rezar compulsivamente o pai-nosso, pedindo que ilumine tanto meu superior quanto ela. Sei o que se passa na cabeça dele agora: a denúncia não foi causada apenas por ciúme ou vingança, mas também pela incrível beleza daquela mulher. Ela é a própria imagem de Lúcifer, o mais bonito e mais perverso anjo do Céu.

Todos ali conhecem seu pai, sabem que é poderoso e pode causar mal a quem tocar em sua filha. Ela me olha, não desvio o rosto. Os outros estão dispersos pela imensa sala subterrânea, escondidos nas sombras, com medo que ela possa sair dali viva e denunciá-los. Covardes! Foram convocados para servir a uma causa maior, estão ajudando a purificar o mundo. Por que se escondem de uma garota indefesa?

– Tire o resto.

Ela continua me olhando fixamente. Levanta as mãos, desfaz o laço da combinação azul que cobre o corpo e deixa que caia lentamente no chão. Me implora com o olhar que faça algo para evitar aquilo, eu lhe respondo com um movimento de cabeça que tudo ficará bem, que não se preocupe.

– Busque a marca de Satã – o inquisidor me ordena.

Eu me aproximo com a vela. Os bicos de seus pequenos seios estão duros, não sei se de frio ou de êxtase involuntário, por estar nua diante de todos. A pele está arrepiada. As janelas altas com vidros grossos não deixam passar muita claridade, mas a pouca luz que entra se reflete em seu corpo imaculadamente branco. Não preciso procurar muito: perto de seu sexo – que, em minhas piores tentações, me imaginei muitas vezes beijando –, vejo a marca de Satã escondida entre os pelos púbicos, na parte superior esquerda. Aquilo me assusta; talvez o inquisidor esteja certo: ali está a inconfundível prova de que já teve relações com o demônio. Sinto asco, tristeza e raiva ao mesmo tempo.

Preciso ter certeza. Ajoelho-me ao lado de sua nudez e verifico de novo a marca. O sinal negro, em forma de crescente.

– Está aí desde que nasci.

Da mesma maneira que seus pais fizeram lá fora, ela pensa que pode estabelecer um diálogo, convencer todos ali de que é inocente. Estou rezando desde que entrei naquela sala, pedindo desesperadamente a Deus que me dê forças. Um pouco de dor e tudo estará terminado em menos de meia hora. Mesmo que aquele sinal seja uma prova inconfundível de seus crimes, eu a amei antes de entregar meu corpo e minha alma a serviço de Deus – porque sabia que seus pais jamais permitiriam que uma nobre casasse com um camponês.

E esse amor ainda é mais forte que minha capacidade de dominá-lo. Não quero vê-la sofrendo.

– Nunca invoquei o demônio. Você me conhece e também sabe quem são minhas amigas. Diga a ele – aponta para o meu superior – que eu sou inocente.

O inquisidor fala com uma ternura surpreendente, que só pode ser inspirada pela misericórdia divina.

– Também conheço sua família. Mas a Igreja sabe que o demônio não escolhe seus súditos baseando-se na classe social, e sim na capacidade de seduzir com palavras ou com a falsa beleza. O mal sai da boca do homem, disse Jesus. Se o mal estiver aí dentro, ele será exorcizado pelos gritos e se transformará na confissão que todos esperamos. Se o mal não estiver ali, você resistirá à dor.

– Eu estou com frio, será...

– Não fale sem que eu lhe dirija a palavra – respondo com suavidade mas firmeza. Apenas balance a cabeça em sinal afirmativo ou negativo. Suas outras quatro amigas já lhe contaram o que acontece, não é verdade?

Ela faz um sinal afirmativo.

– Assumam seus lugares, senhores.

Agora os covardes terão que mostrar seus rostos. Juízes, escrivães e nobres sentam-se à grande mesa que o inquisidor até então ocupara sozinho. Apenas eu, os guardas e a menina permanecemos de pé.

Quisera Deus que essa corja não estivesse ali. Se fôssemos apenas nós três, eu sei que ele ficaria comovido. Se a denúncia não tivesse sido feita em público, o que era algo muito raro, pois a maioria das pessoas temia o comentário dos vizinhos e preferia o anonimato, talvez nada daquilo estivesse acontecendo. Mas o destino quis que as coisas tomassem um rumo diferente, e a Igreja precisa dessa corja, o processo tem que seguir seu curso legal. Depois que fomos acusados de excessos no passado, decretou-se que tudo precisa ficar registrado em documentos civis, idôneos. Assim, no futuro todos saberão que o poder eclasiástico agiu com dignidade e em legítima defesa da fé. As condenações são proferidas pelo Estado: aos inquisidores cabe apenas apontar o culpado.

– Não se assuste. Acabo de conversar com seus pais e prometi que faria todo o possível para provar que jamais participou dos rituais que lhe são atribuídos. Que não invocou os mortos, que não procurou descobrir o que está no futuro, que não tentou visitar o passado, que não adora a natureza, que os discípulos de Satanás jamais tocaram seu corpo, apesar da marca que está CLARAMENTE ali.

– Vocês sabem que...

Todos os presentes, suas faces agora visíveis para a ré, viram-se para o inquisidor com ar indignado, esperando uma reação justificadamente violenta. Mas ele apenas leva as mãos aos lábios pedindo de novo que ela respeite o tribunal.

Minhas preces estão sendo atendidas. Peço ao Pai que dê paciência e tolerância ao meu superior, que não a envie para a Roda. Ninguém resiste à Roda, de modo que só aqueles dos quais se tem certeza da culpa são colocados ali. Até agora nenhuma das quatro moças que estiveram diante do tribunal mereceu o castigo extremo: ser amarrada na parte externa do aro, sob o qual são colocados pregos pontiagudos e brasas. Quando a Roda é girada por um de nós, o corpo vai sendo lentamente queimado, enquanto os pregos dilaceram a carne.

– Tragam a cama.

Minhas preces foram ouvidas. Um dos guardas grita uma ordem.

Ela tenta fugir, mesmo sabendo que é impossível. Corre de um lado para outro, atira-se nas paredes de pedra, vai até a porta mas é empurrada de volta. Apesar do frio e da umidade, seu corpo está coberto de suor, que brilha com a pouca luz que entra na sala. Não grita como as outras, apenas tenta escapar. Os guardas finalmente conseguem agarrá-la: na confusão tocam propositadamente os seios pequenos, o sexo oculto por um grande tufo de cabelos.

Outros dois homens chegam carregando a cama de madeira, feita especialmente para o Santo Ofício na Holanda. Hoje seu uso é recomendado em vários países. Colocam-na bem perto da mesa, agarram a menina que se debate em silêncio, abrem suas pernas, fixam os tornozelos em dois anéis em uma das extremidades. Em seguida, puxam seus braços para trás e os amarram em cordas presas a uma alavanca.

– Eu administrarei a alavanca – digo.

O inquisidor olha para mim. Normalmente isso deveria ser executado por um dos soldados presentes. Mas sei que os bárbaros podem romper seus músculos e, nas quatro vezes anteriores, ele permitiu que eu fizesse o mesmo.

– Está bem.

Encaminho-me até uma das extremidades da cama e coloco as mãos no pedaço de madeira já gasto de tanto uso. Os homens inclinam-se para a frente. A moça nua, de pernas abertas, presa a uma cama é uma visão que pode ser infernal e paradisíaca ao mesmo tempo. O demônio me tenta, me provoca. Esta noite irei me flagelar até que ele seja expulso do meu corpo, e junto com ele saia também a lembrança de que neste momento eu desejei estar ali, abraçado com ela, protegendo-a daqueles olhos e sorrisos de luxúria.

– Afaste-se em nome de Jesus!

Gritei para o demônio, mas sem querer empurrei a alavanca e seu corpo se estirou. Ela apenas gemeu quando sua coluna se curvou em um arco. Afrouxo a pressão, e ele volta ao normal.

Continuo rezando sem parar, implorando misericórdia a Deus. Passando o limite da dor, o espírito se fortalece. Os desejos da vida cotidiana perdem o sentido, e o homem se purifica. O sofrimento vem do desejo, e não da dor.

Minha voz é calma e confortadora.

– Suas amigas lhe contaram o que é isso, não é verdade? À

medida que eu mover esta alavanca, seus braços serão puxados para trás, os ombros vão sair do lugar, a coluna vertebral irá se desmembrar, a pele se romperá. Não me obrigue a ir até o final. Apenas confesse, como fizeram suas amigas. Meu superior lhe dará a absolvição dos pecados, você poderá voltar para casa apenas com uma penitência, tudo retornará ao normal. O Santo Ofício não passa tão cedo na cidade.

Olho para o lado, certificando-me que o escrivão está anotando direito minhas palavras. Que tudo fique registrado para o futuro.

– Eu confesso – diz ela. – Me diga os meus pecados, e eu confesso.

Toco a alavanca com muito cuidado, mas o suficiente para fazer com que ela dê um grito de dor. Por favor, não me deixe ir mais adiante. Por favor, ajude-me e confesse logo.

– Não sou eu quem dirá seus pecados. Embora os conheça, preciso que você mesma os diga, porque o tribunal está presente.

Ela começa a dizer tudo o que esperávamos, sem que seja necessária a tortura. Mas está escrevendo sua sentença de morte, e eu preciso evitar isso. Empurro a alavanca mais um pouco procurando silenciá-la, mas, apesar da dor, ela continua. Fala de premonições, de coisas que pressente que acontecerão, de como a natureza tem revelado a ela e a suas amigas muitos segredos da medicina. Eu começo a pressionar a alavanca, desesperado, mas ela não para, alternando suas palavras com gritos de dor.

– Um momento – diz o inquisidor. – Escutemos o que ela tem a dizer, afrouxe a pressão.

E virando-se para os outros:

– Todos aqui são testemunhas. A Igreja pede a morte na fogueira também para essa pobre vítima do demônio.

Não! Gostaria de pedir que se calasse, mas todos estão me olhando.

– O tribunal concorda – diz um dos juízes presentes.

Ela escutou aquilo. Está perdida para sempre. Pela primeira vez desde que entrou naquela sala, seus olhos se transformam, ganhando uma firmeza que só poderia vir do Maligno.

– Eu confesso que pequei todos os pecados do mundo. Que tive sonhos em que os homens vinham até minha cama e me beijavam o sexo. Um desses homens era você, e eu confesso que o tentei em sonhos. Eu confesso que me reuni com minhas amigas para invocar o espírito dos mortos, porque queria saber se um dia iria casar com o homem que sempre sonhei ter ao meu lado.

Faz um movimento com a cabeça em minha direção.

– Esse homem era você. Eu esperava crescer um pouco mais e depois tentar desviá-lo da vida monástica. Eu confesso que escrevi cartas e diários que queimei, porque eles falavam da única pessoa, além dos meus pais, que teve compaixão comigo e que eu amava por causa disso. Essa pessoa era você...

Puxo a corda com mais força, e ela dá um grito e desmaia. O corpo branco está coberto de suor. Os guardas iam jogar água fria em seu rosto para que recuperasse a consciência e pudéssemos continuar a extrair a confissão, mas o inquisidor os interrompe.

– Não há necessidade. Penso que o tribunal ouviu o que precisava ouvir. Podem vesti-la apenas com a roupa de baixo e levá-la de novo à cela.

Eles removem o corpo inanimado, pegam a camisola branca que estava no chão e carregam a menina para longe de nossos olhos. O inquisidor se vira para os homens de coração duro que estão ali.

– Agora, senhores, aguardo por escrito a confirmação do veredicto. A não ser que alguém neste lugar tenha algo a dizer em favor da acusada. Se for assim, reconsideraremos a acusação.

Não apenas ele, mas todos se voltam para mim. Uns pedindo

que eu não diga nada, outros que a salve, porque, como ela disse, eu a conheço.

Por que ela tinha que dizer aquelas palavras ali? Por que trazer de volta coisas que foram tão difíceis de superar quando decidi servir a Deus e deixar o mundo para trás? Por que não me permitir que a defendesse quando podia salvar sua vida? Se disser qualquer coisa a seu favor agora, no dia seguinte a cidade inteira estará comentando que a salvei porque ela disse que sempre me amou. Minha reputação e minha carreira estarão arruinadas para sempre.

– Estou disposto a mostrar a leniência da Santa Madre Igreja, se uma só voz aqui se levantar em sua defesa.

Não sou o único que conhece sua família ali. Alguns devem favores, outros dinheiro, outros ainda são movidos pela inveja. Ninguem irá abrir a boca. Apenas quem não deve nada.

– Dou o procedimento por encerrado?

O inquisidor, apesar de mais culto e mais devoto que eu, parece estar pedindo minha ajuda. Entretanto, ela disse a todos que me amava.

"Dizei uma só palavra e meu servo será salvo", o centurião dirige-se a Jesus. Basta uma só palavra e minha serva será salva.

Os meus lábios não se movem.

O inquisidor não demonstra, mas sei o que sente por mim: desprezo. Vira-se para o grupo.

– A Igreja, aqui representada por este seu humilde defensor, espera a confirmação da pena de morte.

Os homens reúnem-se em um canto, eu escuto o demônio gritando cada vez mais alto nos meus ouvidos, tentando me confundir, como já fizera antes naquele dia. Em nenhuma das quatro meninas deixei marcas que fossem irreversíveis. Já vi alguns irmãos que levam a alavanca até o extremo, os condenados morrem com todos os órgãos destruídos, o sangue golfando pela boca, os corpos aumentados em mais de 30 centímetros.

Os homens voltam com o papel assinado por todos. O veredicto é o mesmo das outras quatro que foram interrogadas: morte na fogueira.

O inquisidor agradece a todos e sai sem me dirigir palavra. Os homens que administram a lei e a justiça também se afastam, alguns já conversando sobre qualquer futilidade que está acontecendo nas vizinhanças, outros de cabeça baixa. Eu vou até a lareira, pego algumas brasas e as coloco debaixo do hábito. Sinto o cheiro de carne queimada, minhas mãos ardem, meu corpo se contrai de dor, mas eu não movo um músculo.

– Senhor – finalmente digo quando a dor retrocede. – Que estas marcas de queimadura fiquem para sempre no meu corpo, que eu jamais esqueça quem fui durante o dia de hoje.

NEUTRALIZANDO
A FORÇA SEM MOVIMENTO

UMA MULHER COM ALGUNS – MELHOR dizendo, muitos – quilos a mais, excessivamente maquiada e vestida em trajes típicos, canta as músicas da região. Espero que todos estejam se divertindo, a festa está ótima, cada quilômetro naquela ferrovia me deixa mais eufórico.

Houve um momento durante a tarde em que a pessoa que eu era antes de começar a viagem resvalou por uma crise de depressão, mas logo me recompus – se Hilal havia me perdoado, não devia de maneira nenhuma culpar a mim mesmo. Não é fácil nem importante voltar ao passado e reabrir as cicatrizes que ali estão. A única justificativa para isso é saber que esse conhecimento me ajudará a entender melhor o presente.

Desde o final da tarde de autógrafos, fico procurando as palavras exatas para conduzir Hilal em direção à verdade. O mal das palavras é que elas nos dão a sensação de que podemos nos fazer compreender e entender o que os outros estão dizendo. Mas, quando nos viramos e estamos face a face com nosso destino, descobrimos que elas não bastam. Quantas pessoas conheço que são mestras quando falam mas incapazes de viver aquilo que pregam! Além do mais, uma coisa é descrever uma situação, outra é experimentá-la. Por causa disso, há muito entendi que um guerreiro em busca do sonho inspira-se naquilo que faz, e não naquilo que fica imaginando fazer. Não adianta dizer a Hilal o que vivemos juntos; palavras para descrever esse tipo de coisa já estão mortas antes de sair da nossa boca.

Viver a experiência daquele subterrâneo, da tortura e da morte na fogueira não a ajudará nem um pouco – pelo contrário, pode lhe causar um mal terrível. Ainda temos alguns dias pela frente, descobrirei a melhor maneira de fazer com que entenda nossa relação, sem necessariamente passar por todo aquele sofrimento de novo.

Posso escolher mantê-la na ignorância e não contar nada. Mas pressinto, sem nenhuma razão lógica para tal, que a verdade também a libertará de muitas coisas que está experimentando nesta encarnação. Não foi por acaso que tomei a decisão de viajar quando notei que minha vida não estava mais fluindo como um rio em direção ao mar. Fiz isso porque tudo ao meu redor estava ameaçando ficar estagnado. Tampouco foi por acaso que ela comentou que estava sentindo a mesma coisa.

Portanto, Deus precisa trabalhar junto comigo e me mostrar uma forma de dizer a verdade. Todas as pessoas em meu vagão experimentam cada dia uma nova etapa em suas vidas. Minha editora parece mais humana e menos defensiva. Yao, que neste momento fuma um cigarro ao meu lado e olha a pista de dança, deve estar contente em mostrar-me coisas que já esqueci – e desta maneira também relembrar tudo aquilo que aprendeu. Passamos a manhã em outra academia que conseguiu encontrar aqui em Irkutsk, praticamos juntos o Aikido e no final da luta ele me disse:

– Devemos estar preparados para receber os ataques do inimigo e ser capazes de olhar nos olhos da morte para que ela ilumine nosso caminho.

Ueshiba tem muitas frases que guiam os passos daqueles que se dedicam ao Caminho da Paz. Entretanto, Yao escolheu uma que tem relação direta com o momento que vivi na noite anterior: enquanto Hilal dormia em meus braços, olhei sua morte e ela iluminava meu caminho.

Não sei se Yao tem algum processo para mergulhar em um mundo paralelo e acompanhar o que está acontecendo comigo. Embora seja a pessoa com quem mais converse (Hilal fala cada vez menos, embora tenha vivido com ela experiências extraordinárias), ainda não o conheço direito. Acho que pouco adiantou lhe dizer que os entes queridos não desaparecem, apenas passam para uma dimensão diferente. Ele parece continuar com o pensamento fixo em sua mulher, e a única coisa que me resta fazer é recomendar que procure um excelente médium que vive em Londres. Ali encontrará todas as respostas de que está precisando, e todos os sinais que confirmam o que eu disse a respeito da eternidade do tempo.

Estou certo de que todos temos uma razão para estar aqui, em Irkutsk, depois que decidi em um restaurante de Londres, sem pensar muito, que era necessário cruzar a Ásia de trem. Vivências como esta só acontecem quando todas as pessoas já se encontraram em algum lugar do passado e caminham juntas em direção à liberdade.

Hilal está dançando com um rapaz de sua idade. Bebeu um pouco, demonstra alegria excessiva e, mais de uma vez esta noite, já veio me dizer que se arrependia de não ter trazido o violino. É realmente uma pena. Aquelas pessoas ali mereciam o encanto e o feitiço da grande *spalla* de um dos mais respeitados conservatórios de música da Rússia.

★ ★ ★

A CANTORA GORDA SAI DO PALCO, O CONJUNTO continua tocando e a plateia salta e grita o refrão: "Kalashnikov! Kalashnikov!" Se a música de Goran Bregović não fosse tão conhecida, quem passasse do lado de fora teria certeza de que um bando de terroristas estava comemorando algo, pois este é o nome dos rifles de assalto AK-47, em homenagem a seu criador, Mikhail Kalashnikov.

O rapaz e Hilal estão segurando um no outro, a um passo de um beijo. Mesmo que não estejam perto, sei que meus companheiros de viagem estão preocupados com aquilo – talvez eu não esteja gostando.

Mas estou adorando.

Oxalá fosse verdade, ela encontrasse alguém solteiro, que pudesse fazê-la feliz, não tentasse interromper sua brilhante carreira, fosse capaz de abraçá-la em um pôr do sol e não se esquecesse de acender o fogo sagrado quando ela precisasse de ajuda. Ela merece.

– Posso curar essas marcas em seu corpo – diz Yao, enquanto olhamos as pessoas dançando. – A medicina chinesa tem alguns remédios para isso.

Não pode.

– Não é tão grave assim. Aparecem e desaparecem com frequência cada vez mais rara. O eczema numular não tem cura.

– Na cultura chinesa, dizemos que eles surgem apenas em soldados que foram queimados em uma encarnação anterior, durante a batalha.

Eu sorrio. Yao me olha e sorri de volta. Não sei se compreende o que está dizendo. Ali estão as marcas que ficarão para sempre comigo, desde aquela manhã no subterrâneo. Quando me vi como o escritor francês de meados do século XIX, notei na mão que segurava a pena o mesmo tipo de eczema numular, cujo nome deriva do formato das lesões, semelhantes a pequenas moedas romanas (*nummulus*).

Ou semelhantes a queimaduras de brasas.

A música para. Está na hora de sairmos para jantar. Eu me aproximo de Hilal e convido seu companheiro de dança para que nos acompanhe; será um dos leitores escolhidos esta noite. Hilal me olha com surpresa.

– Você já convidou outros.

– Sempre tem lugar para mais um – digo.

– Nem sempre. Nem tudo nesta vida é um longo trem com passagens à venda para todos.

Embora não esteja entendendo direito, o rapaz começa a desconfiar que há algo estranho em nossa conversa. Diz que tinha prometido jantar com a família. Eu resolvo brincar um pouco.

– Já leu Maiakóvski? – pergunto.

– Não é mais obrigatório nas escolas. Sua poesia estava a serviço do governo.

Ele tinha razão. Mesmo assim, eu amara Maiakóvski quando tinha sua idade. E conhecia um pouco de sua vida.

Meus editores se aproximam, com medo de que eu esteja provocando uma briga por ciúmes. Como em muitas situações da vida, as coisas sempre parecem exatamente o que não são.

– Apaixonou-se pela esposa do seu editor, uma bailarina – digo, em tom de provocação. – Um amor violento e fundamental para que sua obra perdesse importância política e ganhasse em humanidade. Escrevia poemas e trocava os nomes. O editor sabia que ele estava falando de sua mulher, mesmo assim continuava publicando seus livros. Ela amava o marido e também amava Maiakóvski. A solução que encontraram foi viverem os três juntos, muito felizes.

– Eu também amo meu marido e amo você! – brinca a mulher do meu editor. – Mude-se para a Rússia!

O rapaz entendeu o recado.

– Ela é sua namorada? – pergunta ele.

– Sou apaixonado por ela há pelo menos 500 anos. Mas a resposta é não: ela está livre e solta como um passarinho. Uma menina que tem uma brilhante carreira pela frente e ainda não encontrou alguém que a trate com o amor e o respeito que merece.

– Que bobagem é essa que você está dizendo? Acha que preciso de alguém para arranjar um homem para mim?

O rapaz confirma que tem um jantar com a família, agradece e vai embora. Os outros leitores convidados se aproximam e saímos para o restaurante a pé.

– Permita-me comentar uma coisa – diz Yao enquanto cruzamos a rua. – Você agiu errado com ela, com o rapaz e com você mesmo. Com ela, porque não respeitou o amor que sente por você. Com o rapaz, porque é seu leitor e sentiu-se manipulado. E com você mesmo, porque foi motivado apenas pelo orgulho de querer mostrar que é mais importante. Se fosse por ciúme, estaria desculpado, mas não foi. Tudo o que quis foi mostrar aos seus amigos e a mim que não está dando o menor valor para nada, o que não é verdade.

Eu concordo com a cabeça. Nem sempre o progresso espiritual vem acompanhado de sabedoria humana.

– E só para completar – continua Yao –, Maiakóvski foi leitura obrigatória para mim. Portanto, todos nós sabemos que tal estilo de vida não deu certo: ele se suicidou com um tiro na cabeça antes de completar 40 anos.

★ ★ ★

Já estamos com cinco horas de diferença de fuso em relação ao ponto de partida. No momento em que começamos a jantar em Irkutsk, as pessoas estão terminando seu almoço em Moscou. Embora a cidade tenha seu encanto, parece que o clima está mais tenso do que dentro do trem. Talvez a essa altura tenhamos nos acostumado com nosso pequeno mundo em torno da mesa que viaja em direção a um ponto definido, e cada parada significa sair do nosso caminho.

Hilal está de péssimo humor depois do que aconteceu durante a festa. Meu editor não larga o celular, discutindo furioso com alguém do outro lado da linha – Yao me tranquiliza dizendo que estão falando sobre distribuição de livros. Os três leitores convidados parecem mais tímidos do que de costume.

Pedimos que tragam bebidas. Um dos leitores nos recomenda cautela, aquilo é uma mistura de vodca da Mongólia e da Sibéria e no dia seguinte teremos que aguentar as consequências. Mas todos estão precisando beber para aliviar a tensão. Viramos o primeiro copo, o segundo, e antes que a comida chegue já pedimos outra garrafa. Finalmente, o leitor que nos alertou sobre a vodca decide que não irá ficar sóbrio sozinho e entorna três doses seguidas, enquanto todos nós aplaudimos. A alegria se instala – exceto por Hilal, que continua com o rosto fechado apesar de beber tanto quanto o resto do grupo.

– Droga de cidade – diz o leitor que era abstêmio até dois minutos atrás e agora tem os olhos vermelhos. – Vocês viram a rua na frente do restaurante.

Notei uma série de casas de madeira lindamente talhadas, o que era raríssimo encontrar hoje em dia. Um museu arquitetônico ao ar livre.

– Não estou falando das casas, estou falando da rua.

Realmente o calçamento não era dos melhores. E em alguns lugares senti o mau cheiro do esgoto ao ar livre.

– A máfia controla esta parte da cidade – continua ele. – Querem comprar e derrubar tudo para construírem seus horrendos conjuntos habitacionais. Como até agora as pessoas não aceitaram vender seus terrenos e casas, eles não permitem que urbanizem o bairro. Esta cidade existe há 400 anos, recebeu os estrangeiros que negociavam com a China de braços abertos, era respeitada pelos negociantes de diamante, ouro, peles, mas agora a máfia tenta se instalar aqui e acabar com isso, embora o governo esteja lutando contra a...

"Máfia" é uma palavra universal. O editor está ocupado com seu interminável telefonema, a editora reclama do cardápio, Hilal finge que está em outro planeta, mas eu e Yao notamos que um grupo de homens sentados na mesa ao lado começa a prestar atenção na nossa conversa.

Paranoia. Pura paranoia.

O leitor continua bebendo e reclamando sem parar. Seus dois amigos concordam com tudo. Falam mal do governo, das condições das estradas, da péssima manutenção do aeroporto. Nada que nenhum de nós não diria de nossas próprias cidades, só que eles repetem a palavra "máfia" a cada queixa que fazem. Eu tento mudar de assunto, pergunto sobre os xamãs da região (Yao se alegra, viu que não me esqueci, embora não tenha confirmado nada) e os rapazes continuam a falar da "máfia dos xamãs", a "máfia dos guias turísticos". A essa altura já trouxeram uma terceira garrafa de vodca mongol-siberiana, todos já estão exaltados discutindo política – em inglês, para que eu possa compreender o que dizem, ou para evitar que as mesas vizinhas se inteirem da conversa. O editor termina o telefonema e se mete na discussão, a editora se entusiasma, Hilal entorna um copo de bebida atrás do outro. Apenas Yao mantém a sobriedade, o olhar aparentemente perdido, tentando disfarçar sua preocupação. Parei em meu terceiro copo e não tenho a menor intenção de seguir adiante.

E o que parecia paranoia se transforma em realidade. Um dos homens da outra mesa se levanta e vem até nós.

Não diz nada. Apenas olha os rapazes que convidamos para

jantar e na mesma hora a conversa para. Todos parecem surpresos com sua presença ali. Meu editor, já um pouco tocado pela bebida e pelos problemas em Moscou, pergunta algo em russo.

– Não, não sou o pai dele – responde o estranho. – Mas não sei se tem idade para ficar bebendo desse jeito. E dizendo coisas que não são verdade.

Seu inglês é perfeito, o sotaque afetado de quem estudou em uma das caríssimas escolas da Inglaterra. As palavras foram pronunciadas em um tom de voz frio, sem a menor emoção ou agressividade.

Só um tolo ameaça. Só outro tolo sente-se ameaçado. Quando as coisas são ditas da maneira como acabamos de escutar, significam perigo – porque os verbos, sujeitos e predicados se transformarão em ação se assim for necessário.

– Vocês escolheram o restaurante errado – continua. – Aqui a comida é ruim e o serviço, péssimo. Talvez seja melhor procurarem outro lugar. Eu pago a conta.

De fato a comida não é boa, a bebida deve ser exatamente como o rapaz explicou antes e o serviço não podia ser pior. Mas neste caso não estamos diante de alguém preocupado com nossa saúde ou bem-estar: estamos sendo expulsos.

– Vamos embora – diz o rapaz.

Antes que possamos fazer alguma coisa, ele e seus amigos desaparecem de vista. O homem parece satisfeito e dá meia-volta para retornar ao lugar onde estava antes. Por uma fração de segundo, a tensão desaparece.

– Pois eu estou gostando muito da comida e não tenho a menor intenção de trocar de restaurante.

Yao também falou com uma voz sem qualquer emoção ou ameaça. Não precisava ter dito aquilo, o conflito já tinha acabado, o problema era apenas com os rapazes – podíamos terminar de comer em paz. O homem volta para encará-lo. Outro homem na mesa pega o celular e vai até o lado de fora. O restaurante fica em silêncio.

Yao e o estranho se olham fixamente nos olhos.

– A comida daqui pode dar intoxicação e matar rápido.

Yao não se levanta da cadeira.

– Segundo as estatísticas, nestes três minutos em que estamos conversando acabam de morrer 320 pessoas no mundo, e outras 650 nasceram. É a vida, o mundo. Não sei quantas morreram intoxicadas, mas seguramente algumas delas. Outras morreram depois de uma longa enfermidade, algumas sofreram um acidente e com toda a certeza há uma porcentagem que acaba de levar um tiro e outra que deixou esta terra porque deu à luz uma criança, parte das estatísticas do nascimento. Só morre quem está vivo.

O homem que saiu com o celular entra de novo. O que se encontra diante da nossa mesa não deixa transparecer nenhuma emoção. Durante o que parece ser uma eternidade, o restaurante inteiro permanece em silêncio.

– Um minuto – diz finalmente o estrangeiro. – Devem ter morrido outras 100 pessoas, e umas 200 nasceram.

– Isso mesmo.

Mais dois homens aparecem na porta do restaurante e se encaminham para nossa mesa. O estranho nota o movimento, faz um sinal com a cabeça e eles tornam a sair.

– Mesmo que a comida seja péssima e o serviço de quinta categoria, se foi este o restaurante que escolheram, eu não posso fazer nada. Bom apetite.

– Obrigado. Mas, já que se ofereceu para pagar a conta, aceitamos com prazer.

– Não se preocupe com isso – dirige-se apenas a Yao, como se não existisse ninguém mais ali. Leva a mão ao bolso, todos nós imaginamos que dali sairá uma pistola, mas retira apenas um inofensivo cartão de visita.

– Se algum dia estiver desempregado ou cansado do que faz agora, nos procure. Nossa companhia imobiliária tem uma grande filial aqui na Rússia, e precisamos de gente como você. Gente que entende que a morte é apenas uma estatística.

Estende o cartão, os dois apertam as mãos e o estranho volta para seu lugar. Pouco a pouco o restaurante torna a ganhar vida, as conversas animam o ambiente e olhamos deslumbrados para Yao, nosso herói, aquele que venceu o inimigo sem disparar uma só bala. Hilal perdeu seu mau humor e agora tenta acompanhar uma conversa completamente absurda, em que todos parecem interessadíssimos no empalhamento de pássaros e na qualidade da vodca mongol-siberiana. A adrenalina provocada pelo medo nos deixou sóbrios de uma hora para outra.

Preciso aproveitar essa oportunidade. Depois perguntarei a Yao por que estava tão seguro de si.

– Estou impressionado com a fé do povo russo. O comunismo, pregando durante 70 anos que a religião é o ópio do povo, não conseguiu nada.

– Marx não entendia nada das maravilhas do ópio – diz a editora.

Todo mundo ri. Eu continuo:

– O mesmo se passou com a Igreja a que pertenço. Matamos em nome de Deus, torturamos em nome de Jesus, decidimos que a mulher era uma ameaça para a sociedade e suprimimos todas as manifestações dos dons femininos, praticamos a usura, assassinamos inocentes e fizemos alianças com o diabo. Mesmo assim, dois mil anos depois ainda estamos aqui.

– Odeio igrejas – diz Hilal mordendo a isca. – Se houve um momento nesta viagem que realmente detestei, foi quando você me obrigou a ir a uma igreja em Novosibirsk.

– Imaginemos que você acredite em vidas passadas e que,

em uma de suas existências anteriores, tivesse sido queimada pela Inquisição em nome da fé que o Vaticano tentava impor. Você a odiaria mais por isso?

Ela não pensa muito antes de responder.

– Não. Continuaria sendo indiferente para mim. Yao não odiou o homem que veio até nossa mesa; apenas dispôs-se a lutar por um princípio.

– Mas digamos que você fosse inocente.

O editor interrompe. Possivelmente também deve ter publicado um livro a respeito...

– Estou me lembrando de Giordano Bruno. Respeitado como um doutor da Igreja, queimado vivo no centro de Roma. Durante o julgamento, disse ao tribunal algo como "Eu não tenho medo da fogueira. Mas vocês estão com medo do seu veredicto". Hoje há uma estátua dele no lugar onde foi assassinado por seus "aliados". Ele venceu, porque quem o julgou foram os homens, e não Jesus.

– Você está procurando justificar uma injustiça e um crime – diz a editora.

– De jeito nenhum. Os assassinos desapareceram do mapa, mas Giordano Bruno ainda influencia o mundo com suas ideias. Sua coragem foi recompensada. Uma vida sem causa é uma vida sem efeitos.

Parece que a conversa está sendo guiada.

– Caso você fosse Giordano Bruno – eu agora estou olhando diretamente para Hilal –, seria capaz de perdoar seus carrascos?

– Aonde você está querendo chegar?

– Eu pertenço a uma religião que cometeu horrores no passado. É aí que quero chegar, porque, apesar de tudo, ainda fico com o amor de Jesus, mais forte do que o ódio daqueles que se denominaram seus sucessores. E continuo acreditando no mistério da transmutação do pão e do vinho.

– O problema é seu. Quero distância de igrejas, padres e sacramentos. Para mim, bastam a música e a contemplação silenciosa da natureza. Mas o que diz agora tem alguma relação com o que viu quando... – Ela procura as palavras: – ... comentou que iria fazer um exercício de um anel de luz?

Não mencionou que estávamos juntos na cama. Apesar de seu temperamento forte e de suas palavras impensadas, noto que procura me proteger.

– Não sei. Como disse no trem, tudo o que está se desenrolando no passado e no futuro também está acontecendo no presente. Quem sabe nos encontramos porque eu fui seu carrasco, você foi minha vítima e é minha hora de pedir sua absolvição.

Todo mundo ri, e eu com eles.

– Então me trate melhor. Me dê mais atenção, me diga aqui, na frente de todo mundo, uma frase de três palavras que eu gostaria de escutar.

Sei que está imaginando "Eu te amo".

– Direi três frases de três palavras: 1) Você está protegida. 2) Não se preocupe. 3) Eu te adoro.

– Eu também quero falar uma coisa: só pode dizer "eu te perdoo" quem consegue dizer "eu te amo".

Todos batem palmas. Voltamos à vodca mongol-siberiana, falamos de amor, de perseguição, de crimes em nome da verdade, da comida do restaurante. A conversa agora não vai avançar mais, ela não entende o que estou falando – mas o primeiro passo, o mais difícil, acaba de ser dado.

★　★　★

Na saída, pergunto a Yao por que resolveu agir daquela maneira, colocando todo mundo em risco.

– Aconteceu alguma coisa?

– Nada. Mas podia ter acontecido. Pessoas como ele não costumam ser desrespeitadas.

– Já fui expulso de outros lugares quando era mais jovem e prometi a mim mesmo que isso jamais tornaria a acontecer depois que eu ficasse adulto. Eu não o desrespeitei, apenas o enfrentei como ele gostaria de ser enfrentado. Os olhos não mentem; e ele sabia que eu não estava blefando.

– Mesmo assim, você o desafiou. Estamos em uma cidade pequena, e ele poderia sentir que seu poder estava em jogo.

– Quando partimos de Novosibirsk, você comentou sobre esse tal de Aleph. Só alguns dias atrás me dei conta de que os chineses também têm uma palavra para isso: *ki*. Tanto ele como eu estávamos no mesmo centro de energia. Sem querer filosofar sobre o que poderia acontecer, toda pessoa acostumada ao perigo sabe que, a cada momento de sua vida, pode ser confrontada com um oponente. Não digo inimigo, digo oponente. Quando os oponentes estão seguros do seu poder, como era o caso daquele homem, necessitamos desta confrontação, ou podemos ficar enfraquecidos pela ausência de exercício. Saber apreciar e honrar nossos oponentes é uma atitude totalmente distinta da dos aduladores, dos fracos ou dos traidores.

– Mas você sabe que ele era...

– Não importa o que ele era, e sim como manejava sua força. Eu gostei do seu estilo de luta, e ele gostou do meu. Só isso.

A ROSA DOURADA

SINTO UMA INSUPORTÁVEL DOR DE CABEÇA por causa da vodca mongol-siberiana, apesar de todos os comprimidos e antiácidos que tomei. O vento é cortante, mesmo com o dia claro e sem nuvens no céu. Os blocos de gelo se confundem com o cascalho da margem, embora já seja primavera. O frio é insuportável, apesar de todo o agasalho que levo no corpo.

E um único pensamento: "Meu Deus, estou em casa!"

Um lago onde quase não posso ver a outra margem, água transparente, as montanhas nevadas ao fundo, um barco de pescadores que está saindo agora e deve voltar ao entardecer. Quero estar ali, completamente presente, porque não sei se algum dia irei voltar. Respiro fundo várias vezes, procurando trazer tudo aquilo para dentro de mim.

– Uma das visões mais lindas que tive em minha vida.

Yao encoraja-se com meu comentário e resolve me dar mais dados técnicos. Explica que o lago Baikal, chamado de "mar do Norte" nos antigos textos chineses, concentra 20% da água doce do planeta e tem 25 milhões de anos, mas nada disso me interessa.

– Não me distraia, quero trazer toda esta paisagem para dentro de minha alma.

– Muito grande. Por que você não faz o contrário: mergulha e junta-se à alma do lago?

Ou seja, provocar um choque térmico e morrer congelado na Sibéria. Mas finalmente ele conseguiu tirar minha concentração; a cabeça está pesada, o vento, insuportável, e resolvemos ir logo para o lugar onde devemos passar a noite.

– Obrigado por ter vindo. Não se arrependerá.

Vamos até a pousada no vilarejo com ruas de terra e casas semelhantes às que tinha visto em Irkutsk. Diante da porta há um poço. Diante do poço, uma menina que tenta retirar um balde de água. Hilal vai até lá para ajudá-la, mas, em vez de puxar a corda, coloca a criança perigosamente na borda.

– Diz o *I Ching*: "Você pode mover uma cidade, mas não um poço." Eu digo que você pode mover o balde, mas não a criança. Tome cuidado.

A mãe da criança se aproxima e discute com Hilal. Deixo as duas, entro e vou para o meu quarto. Yao não queria de jeito nenhum que Hilal viesse. O lugar onde vamos encontrar o xamã não permite a entrada de mulheres. Expliquei que aquela visita não me interessava muito. Eu conhecia a Tradição, espalhada pelos quatro cantos da Terra, e já havia me encontrado com vários xamãs em meu país. Só tinha aceitado ir até lá porque Yao me ajudara e me ensinara muitas coisas durante a viagem.

– Preciso passar cada segundo que posso ao lado de Hilal – disse ainda em Irkutsk. – Sei o que estou fazendo. Estou caminhando de volta ao meu reino. Se ela não me ajudar agora, terei apenas mais três oportunidades nesta "vida".

Embora não tenha entendido direito o que eu queria dizer, ele acabou cedendo.

Coloco a mochila em um canto, ligo a calefação no máximo, fecho as cortinas e me jogo na cama, torcendo para que a dor de cabeça vá logo embora. Hilal entra em seguida.

– Você me deixou lá fora conversando com aquela mulher. Sabe que detesto estranhos.

– Nós somos os estranhos aqui.

– Detesto estar sendo o tempo todo julgada, enquanto escondo meu medo, minhas emoções, minhas vulnerabilidades. Você me vê como uma moça talentosa, corajosa, que não se deixa intimidar por nada. Está enganado! Me deixo intimidar por tudo. Evito olhares, sorrisos, contatos mais diretos, só tenho conversado com você. Ou será que não reparou nisso?

Lago Baikal, montanhas nevadas, água límpida, um dos lugares mais belos do planeta, e aquela discussão idiota.

– Vamos descansar um pouco. Depois saímos para dar uma caminhada. De noite irei me encontrar com o xamã.

Ela faz menção de largar sua mochila.

– Você tem seu quarto.

– Mas no trem...

Não termina a frase. Bate a porta. Fico olhando o teto, perguntando a mim mesmo o que fazer naquele momento. Não posso me deixar guiar pela culpa. Não posso e não quero – porque amo outra mulher que neste momento está longe, confiante, apesar de conhecer bem seu marido. Se todas as tentativas anteriores foram inúteis, talvez aqui seja o lugar ideal para deixar isso bem claro para a menina obsessiva e flexível, forte e frágil.

Não sou culpado do que está acontecendo. Hilal tampouco. A vida nos colocou nesta situação e espero que seja para o nosso bem. Espero? Preciso ter certeza. Tenho certeza. Começo a rezar e durmo logo em seguida.

Quando acordo, vou até seu quarto e escuto a música do violino. Espero que termine antes de bater na porta.

– Vamos dar um passeio.

Ela me olha entre surpresa e feliz.

– Está melhor? Consegue aguentar o vento e o frio?

– Sim, estou muito melhor. Vamos sair.

Caminhamos pelo povoado, que parece saído de um conto de fadas. Um dia os turistas vão chegar aqui, hotéis imensos serão construídos, lojas venderão camisetas, isqueiros, cartões--postais, imitações das casas de madeira. Em seguida farão gigantescos estacionamentos para os ônibus de dois andares que vão despejar pessoas com máquinas fotográficas digitais, determinadas a capturar o lago inteiro em um chip. O poço que vimos será destruído e substituído por outro, que servirá para enfeitar a rua, mas que já não dará água para seus habitantes – estará fechado por ordem da municipalidade, evitando o risco de crianças estrangeiras se debruçarem em sua borda. O barco de pesca que vi aquela manhã não existirá mais. As águas do Baikal serão cortadas por iates modernos oferecendo cruzeiros de um dia até o centro do lago – almoço incluído. Pescadores e caçadores profissionais virão até a região, munidos de licenças para exercer suas atividades, pelas quais pagarão por dia o equivalente ao que os caçadores e pescadores da região ganham em um ano.

Mas no momento é apenas uma cidade perdida na Sibéria, onde um homem e uma mulher com metade de sua idade caminham perto de um rio criado pelo degelo. Sentam-se à sua margem.

– Você lembra de nossa conversa ontem à noite no restaurante?

– Mais ou menos. Bebi muito. Lembro-me que Yao não se deixou acovardar quando veio aquele inglês até nossa mesa.

– Eu falei do passado.

– Eu me lembro. Entendi perfeitamente o que estava dizendo, porque, naquele segundo que estivemos no Aleph, eu o vi com olhos de amor e de indiferença, a cabeça coberta por um capuz. Me sentia traída, humilhada. Mas relações de vidas passadas não me interessam. Estamos aqui no presente.

– Está vendo este rio diante de nós? Pois na sala do meu apartamento existe um quadro com uma rosa colocada em um rio semelhante a este. Metade da pintura foi carregada pelas águas e pelas intempéries, de modo que as bordas são irregulares; mesmo assim, posso ver ainda parte da bela rosa vermelha, pintada sobre um fundo dourado. Conheço a artista. Em 2003, fomos juntos até uma floresta dos Pirineus, descobrimos o riacho que naquele momento estava seco e escondemos a tela debaixo das pedras que cobriam seu leito.

"Ela é minha mulher. Neste momento, está fisicamente a milhares de quilômetros de distância, dormindo porque o dia ainda não raiou em sua cidade, embora aqui já sejam quatro horas da tarde. Estamos juntos há mais de um quarto de século: quando a conheci, tive absoluta certeza de que nossa relação não ia dar certo. Durante os dois primeiros anos, eu estava sempre preparado para que um dos dois fosse embora. Nos cinco anos que se seguiram, continuei achando que tínhamos simplesmente nos acostumado um ao outro, mas logo nos daríamos conta disso e cada um seguiria seu destino. Tinha convencido a mim mesmo de que qualquer compromisso mais sério iria me privar de "liberdade" e impedir-me de viver tudo aquilo que desejava.

Noto que a moça ao meu lado começa a se sentir desconfortável.

– E o que isso tem a ver com o rio e a rosa?

– Estávamos no verão de 2002, eu já era um escritor conhecido, tinha dinheiro e julgava que meus valores básicos não haviam mudado. Mas como ter absoluta certeza? Testando. Alugamos um pequeno quarto em um hotel de duas estrelas na França, onde começamos a passar cinco meses por ano. O armário não podia crescer, de modo que limitamos nossas roupas ao essencial. Percorríamos florestas e montanhas, jantávamos fora, ficávamos horas conversando, íamos ao cinema todos os dias. Viver nessas condições nos confirmou que as coisas mais sofisticadas do mundo são justamente aquelas que estão ao alcance de todos.

"Ambos somos apaixonados pelo que fazemos. Para meu trabalho tudo de que preciso é um computador portátil. Acontece que minha mulher é... pintora. E pintores precisam de gigantescos ateliês para produzir e guardar seus trabalhos. Não queria de maneira nenhuma que sacrificasse sua vocação por mim, de modo que me propus a alugar um local. Entretanto, olhando em volta, vendo as montanhas, os vales, os rios, os lagos, as florestas, ela pensou: por que não armazeno isso aqui? E por que não permito que a natureza trabalhe comigo?"

Hilal não tira os olhos do rio.

– Daí nasceu a ideia de "guardar" as pinturas ao ar livre. Eu levava o laptop e ficava escrevendo. Ela se ajoelhava na grama e pintava. Um ano depois, quando retiramos as primeiras telas, o resultado era original e magnífico. O primeiro quadro que retirou foi a rosa. Hoje, mesmo que tenhamos uma casa nos Pirineus, ela continua enterrando e desenterrando suas telas pelo mundo. O que nasceu de uma necessidade se tornou sua maneira de criar. Eu olho o rio, me lembro da rosa e sinto um amor quase palpável, físico, como se ela estivesse aqui.

O vento já não está tão forte como antes, e por causa disso o sol consegue esquentar um pouco. A luz à nossa volta não podia ser mais perfeita.

– Entendo e respeito – diz ela. – Mas você disse uma frase no restaurante, quando estava falando do passado: o amor é mais forte. O amor é maior do que uma pessoa.

– Sim. Mas o amor é feito de escolhas.

– Em Novosibirsk, você me fez conceder-lhe o perdão, e eu o concedi. Agora eu lhe peço: diga que me ama.

Seguro sua mão. Estamos olhando o rio juntos.

– A ausência de resposta também é uma resposta – diz ela.

Eu a abraço e coloco sua cabeça no meu ombro.

– Eu te amo. Eu te amo porque todos os amores do mundo são como rios diferentes correndo para um mesmo lago, e ali se encontram e se transformam em um amor único que vira chuva e abençoa a terra.

"Eu te amo como um rio, que cria as condições para que a vegetação e as flores cresçam por onde ele passa. Eu te amo como um rio, que dá de beber a quem tem sede e transporta as pessoas até onde elas querem chegar.

"Eu te amo como um rio, que entende que precisa correr diferente em uma cachoeira e aprender a repousar em uma depressão do terreno. Eu te amo porque todos nascemos no mesmo lugar, na mesma fonte, que continua nos alimentando sempre com mais água. Assim, quando estamos fracos tudo o que precisamos fazer é aguardar um pouco. Volta a primavera, as neves do inverno derretem e tornam a nos encher de nova energia.

"Eu te amo como um rio que começa solitário e fraco em uma montanha, aos poucos vai crescendo e se unindo a outros rios que se aproximam até que, a partir de determinado momento, pode contornar qualquer obstáculo para chegar aonde deseja.

"Então, eu recebo seu amor e lhe entrego meu amor. Não o amor de um homem por uma mulher, não o amor de um pai por uma filha, não o amor de Deus por suas criaturas. Mas um amor sem nome, sem explicação, como um rio que não consegue explicar o seu percurso, apenas segue adiante. Um amor que não pede e que não dá nada em troca, apenas se manifesta. Eu nunca serei seu, você nunca será minha, mas mesmo assim posso dizer: eu te amo, eu te amo, eu te amo."

Deve ter sido a tarde, deve ter sido a luz, mas naquele momento o Universo parecia finalmente entrar em harmonia. Ficamos ali sentados, sem a menor vontade de voltar para o hotel, onde Yao já devia estar me esperando.

A ÁGUIA DO BAIKAL

VAI ESCURECER A QUALQUER MOMENTO. Somos seis pessoas diante de um pequeno barco ancorado na margem: Hilal, Yao, o xamã, eu e duas mulheres mais velhas. Todos conversam em russo. O xamã faz sinais negativos com a cabeça. Yao parece insistir, mas o xamã lhe dá as costas e vai para o barco.

Agora Yao e Hilal discutem. Ele parece preocupado, mas creio que está se divertindo com a situação. Praticamos mais de uma vez o Caminho da Paz e consigo entender os sinais do seu corpo. Ele está fingindo uma irritação que não sente.

– O que estão conversando?

– Não posso ir – diz ela. – Tenho que ficar com essas duas mulheres que nunca vi na vida. Aturar uma noite inteira aqui, nesse frio. Não há ninguém para me levar de volta ao hotel.

– O que fizermos na ilha você também experimentará aqui com elas – explica Yao. – Mas não podemos romper uma tradição. Avisei antes, mas ele insistiu em trazê-la. Temos que ir logo, porque existe um momento certo: o que vocês chamam de Aleph, eu de *ki* e os xamãs seguramente devem conhecer por algum outro nome. Não vai demorar, estaremos de volta em duas horas.

– Vamos – digo, pegando Yao pelo braço e conduzindo-o ao barco.

Viro-me para Hilal com um sorriso no rosto:

– Você não ficaria trancada naquele hotel por nada deste mundo, sabendo que pode experimentar algo completamente novo. Se é bom ou ruim, eu não sei. Mas é diferente de jantar sozinha.

– E você, por acaso, acha que belas palavras de amor são suficientes para alimentar o coração? Entendo perfeitamente que ama sua mulher, mas será que é capaz de retribuir pelo menos um pouco de tantos universos que estou colocando na sua porta?

Dou meia-volta e me dirijo ao barco. De novo uma discussão idiota.

★   ★   ★

O XAMÃ DEU A PARTIDA NO MOTOR e assumiu o leme. Vamos em direção ao que parece ser uma rocha a uns 200 metros da margem. Calculo que chegaremos em menos de 10 minutos.

– Agora que não tenho mais como voltar atrás, por que você insistiu tanto que eu o conhecesse? Foi a única coisa que me pediu nesta viagem, embora tenha me dado muito em troca. Não falo apenas das lutas de Aikido. Sempre que necessário você ajudou a manter o equilíbrio no trem, traduziu minhas palavras como se fossem suas e ainda ontem mostrou a importância de entrar em uma luta apenas por respeito ao adversário.

Yao está um pouco desconfortável, movendo a cabeça de um lado para outro, como se fosse responsável pela segurança do pequeno barco.

– Achei que gostaria de conhecê-lo por causa de seus interesses...

– Não é uma boa resposta. Se quisesse conhecê-lo, teria pedido.

Ele finalmente me olha, balançando afirmativamente a cabeça.

– Chamei você porque fiz uma promessa de voltar aqui em minha próxima viagem pela região. Eu poderia ter vindo sozinho, mas assinei um contrato com a editora garantindo que estaria o tempo todo ao seu lado. Eles não gostariam.

– Às vezes não preciso de gente o tempo todo ao meu lado. E eles tampouco se incomodariam que eu ficasse em Irkutsk.

A noite está caindo mais rápido do que eu imaginava. Yao muda o rumo da conversa:

– Esse homem que está conduzindo o barco é capaz de conversar com minha mulher. Sei que não é mentira, porque nenhuma outra pessoa no mundo poderia saber de certas coisas. Além do mais, ele salvou minha filha. Conseguiu o que nenhum médico dos excelentes hospitais de Moscou, Pequim, Xangai e Londres foi capaz de fazer. E não pediu nada em troca, apenas que o visitasse de novo. Ocorre que desta vez estou com você. Talvez consiga entender coisas que meu cérebro se recusa a aceitar.

A rocha no meio do lago se aproxima; devemos chegar em menos de um minuto.

– Isso é uma resposta. Obrigado pela confiança. Estou em um dos lugares mais lindos do mundo, neste final de tarde esplendoroso, escutando o barulho das ondas batendo no barco. Portanto, vir encontrar esse homem é uma das muitas bênçãos que têm acontecido durante toda esta viagem.

Exceto pelo dia em que falou de sua dor pela perda da mulher, Yao jamais tinha demonstrado qualquer sentimento. Agora pega minha mão, coloca sobre seu peito e a aperta com força. O barco bate em uma pequena faixa de cascalho que faz as vezes de ancoradouro.

– Obrigado. Muito obrigado.

★　★　★

Subimos até o topo da rocha. Ainda dá para ver o horizonte vermelho. À nossa volta existe apenas vegetação rasteira e, a leste, há umas três ou quatro árvores que ainda não deixaram brotar suas folhas. Em uma delas, restos de oferendas e uma carcaça de animal balançando em um galho. O velho xamã inspira respeito e sabedoria; não irá me mostrar nada de novo, porque já percorri muitos caminhos e sei que todos se encontram no mesmo lugar. Mesmo assim, vejo que é sério em suas intenções. Enquanto prepara o ritual, minha mente procura recordar tudo o que aprendi a respeito do seu papel na história da civilização.

★　★　★

Nos tempos antigos, as tribos tinham duas figuras predominantes. A primeira era o líder: o mais corajoso, forte o suficiente para derrotar outros homens que o desafiavam, inteligente o bastante para escapar a conspirações na eterna luta pelo poder – que não ocorre apenas hoje, mas nasce na noite dos tempos. Uma vez estabelecido em seu cargo, passava a ser responsável pela proteção e pelo bem-estar do seu povo no mundo físico. Com o passar do tempo, o que era escolha natural terminou por se corromper, e a figura do líder passou a ser transmitida hereditariamente. É o princípio da perpetuação do poder, de onde surgem os imperadores, reis, ditadores.

Mais importante que o líder, porém, era o xamã. Já na aurora da humanidade os homens percebiam a presença de uma força maior, razão de viver e morrer, sem que pudessem explicar direito de onde vinha isso. Junto com o nascimento do amor, surge a necessidade de uma resposta para o mistério da existência. Os primeiros xamãs eram mulheres, fontes da vida;

como não estavam ocupadas com a caça ou a pesca, dedica-vam-se à contemplação e acabaram mergulhando nos misté-rios sagrados. A Tradição era sempre passada para as mais capazes, que viviam isoladas e por causa disso eram virgens em sua maioria. Trabalhavam em um plano diferente, equili-brando as forças do mundo espiritual com as do mundo físico.

O processo era quase sempre o mesmo: o xamã do grupo entrava em transe por meio da música (normalmente percus-são), bebia e administrava poções que encontrava na natureza, sua alma saía do corpo e entrava no universo paralelo. Ali en-contrava os espíritos das plantas, dos animais, dos mortos e dos vivos – todos convivendo em um tempo único, aquilo que Yao chama de energia *ki* e a que eu me refiro como Aleph. Dentro deste ponto único, ela encontrava seus guias, equilibrava as energias, curava as doenças, provocava as chuvas, restaurava a paz, decifrava os símbolos e sinais enviados pela natureza, punia cada indivíduo que estivesse atrapalhando o contato da tribo com o Todo. Naquela época, como a viagem em busca de comida obrigava a tribo a estar sempre em um lugar diferente, não era possível construir templos ou altares de adoração. Havia apenas o Todo, em cujo ventre caminhava a tribo.

Da mesma maneira como aconteceu com os líderes, a função dos xamãs foi deturpada. Já que a saúde e a proteção do grupo dependiam da harmonia com a floresta, o campo e a natureza, as mulheres responsáveis pelo contato espiritual – a alma da tribo – começaram a ser investidas de grande autoridade, geral-mente maior que a do líder. Em um momento que a história não sabe precisar (embora acredite-se que tenha sido logo depois da descoberta da agricultura e do fim do nomadismo), o dom fe-minino foi usurpado pelo homem. A força sobrepujou a harmo-nia. As qualidades naturais dessas mulheres não eram mais levadas em conta; o que importava era o poder que tinham.

O próximo passo foi organizar o xamanismo – agora masculino – em uma estrutura social. Nasceram as primeiras religiões. A sociedade havia mudado e não era mais nômade, mas o respeito e o temor ao líder e ao xamã estavam (e permanecem) enraizados de maneira definitiva na alma dos seres humanos. Conscientes disso, os sacerdotes se associaram aos líderes para manter o povo submisso. Quem desafiasse os governantes era ameaçado com a punição dos deuses. Em um dado momento, as mulheres começaram a reclamar de volta o papel de xamãs, porque o mundo sem elas caminhava para o confronto. Mas, sempre que isso acontecia, eram imediatamente afastadas, tratadas como hereges e prostitutas. Se a ameaça fosse realmente forte, o sistema não hesitava em puni-las com a fogueira, o apedrejamento e, em casos mais brandos, o exílio. A história da civilização não deixou vestígios de religiões femininas; sabemos apenas que os mais antigos objetos mágicos descobertos por arqueólogos representam deusas.

Mas isso se perdeu nas areias do tempo. Da mesma maneira que o poder mágico, sendo usado apenas para fins terrenos, terminou diluído e sem força. Só o que permaneceu foi o medo das punições divinas.

Diante de mim está um homem, e não uma mulher – embora as mulheres que ficaram na margem com Hilal seguramente tenham o mesmo poder que ele. Não questiono sua presença, ambos os sexos possuem o mesmo dom de entrar em contato com o desconhecido, desde que estejam abertos para seu "lado feminino". Minha falta de entusiasmo em vir até aqui foi porque sei como a humanidade se afastou da origem, do contato com o Sonho de Deus.

Ele está acendendo o fogo em um buraco que protegerá as chamas do vento que não para de soprar, colocando uma espécie de tambor ao seu lado, abrindo uma garrafa com algum tipo de líquido que desconheço. O xamã na Sibéria – onde se originou o termo – segue os mesmos rituais do pajé nas florestas da Amazônia, dos feiticeiros no México, dos sacerdotes do candomblé africano, dos espíritas na França, dos curandeiros das tribos indígenas americanas, dos aborígines na Austrália, dos carismáticos na Igreja Católica, dos mórmons em Utah, e daí por diante.

Nessa semelhança reside a grande surpresa dessas tradições que parecem viver em eterno conflito umas com as outras. Elas se encontram em um único plano espiritual e se manifestam em diversos lugares do mundo, embora jamais tenham se comunicado no plano físico. Ali está a Mão Superior que diz:

"Às vezes meus filhos têm olhos e não veem. Têm ouvidos e não ouvem. Portanto, a alguns exigirei que não sejam surdos ou cegos para mim. Mesmo que isso tenha um preço alto, eles serão responsáveis por manter viva a Tradição, e um dia as Minhas bênçãos retornarão à Terra."

O xamã começa a tocar seu tambor de maneira ritmada, aumentando lentamente a cadência. Diz algo para Yao, que me traduz em seguida:

– Ele não usou este termo, mas o *ki* virá junto com o vento.

O vento começa a aumentar. Mesmo que esteja bem agasalhado – anoraque especial, luvas, gorro de lã espessa e cachecol que deixa apenas meus olhos de fora –, não é suficiente. Meu nariz parece ter perdido a sensibilidade, pequenos cristais de gelo se acumulam em minhas sobrancelhas e cavanhaque. Yao está sentado sobre as pernas, com uma postura elegante. Procuro fazer o mesmo, mas a toda hora mudo de posição, já que as calças que estou usando são comuns e o vento atravessa o tecido e adormece os músculos, provocando câimbras dolorosas.

As chamas dançam selvagemente, mas mantêm-se acesas. O ritmo do tambor acelera. Neste momento o xamã está tentando fazer com que seu coração acompanhe as batidas de sua mão no couro do instrumento, cuja parte inferior é aberta para que os espíritos possam entrar. Nas tradições afro-brasileiras, esse é o momento em que o médium ou sacerdote deixa sua alma sair, permitindo que outra entidade – mais experiente – ocupe seu corpo. A única diferença é que em meu país não existe um momento exato para que aquilo que Yao chamou de *ki* se manifeste.

Deixo de ser um mero observador e resolvo participar do transe. Procuro fazer com que meu coração também acompanhe as batidas, fecho os olhos, esvazio meu pensamento, mas o frio e o vento me impedem de ir mais longe. Preciso de novo mudar de posição; abro os olhos e noto que agora ele tem algumas plumas na mão que segura o tambor – possivelmente de um raro pássaro local. Segundo as tradições em todos os lugares do mundo, os pássaros são mensageiros do divino. São eles que ajudam o feiticeiro a subir até o alto e conversar com os espíritos.

Yao também está de olhos abertos; o êxtase é do xamã, e dele apenas. O vento aumenta de intensidade, eu sinto cada vez mais frio, mas o xamã está impassível. O ritual continua: ele abre uma garrafa com um líquido que me parece ser de cor verde, bebe, entrega a Yao, que também bebe e me passa. Por respeito, faço a mesma coisa: provo aquela mistura açucarada, com leve teor alcoólico, e devolvo a garrafa ao xamã.

O ritmo do tambor continua, sendo interrompido apenas por desenhos que o homem rabisca no chão. Nunca vi aqueles símbolos, lembram um tipo de escrita que desapareceu há muito tempo. De sua garganta saem ruídos estranhos, que parecem vozes de pássaros ampliadas muitas vezes. O tambor soa cada vez mais forte e mais rápido, o frio agora parece não me incomodar muito e de repente o vento para.

Ninguém precisa me explicar nada: o que Yao chama de *ki* acaba de se apresentar. Os três nos entreolhamos, há uma espécie de calma, a pessoa diante de mim não é a mesma que conduziu o barco ou que pediu que Hilal ficasse na margem: suas feições mudaram, dando-lhe um ar mais jovem e mais feminino.

Durante um tempo que não posso precisar, ele e Yao conversam em russo. Um clarão aparece no horizonte, a lua está nascendo. Acompanho-a em sua nova viagem pelo céu, os raios prateados se refletindo nas águas do lago, que de um momento para outro estão calmas. Do meu lado esquerdo, as luzes do pequeno vilarejo se acendem. Estou calmo, procurando absorver o máximo deste momento que não esperava viver, mas que estava em meu caminho – como muitos outros. Oxalá o inesperado tenha sempre essa face tão bonita e pacífica.

Finalmente – usando Yao como tradutor – o xamã me pergunta o que vim fazer.

– Acompanhar um amigo que prometeu voltar aqui. Prestar respeito à sua arte. E poder contemplar o mistério ao seu lado.

– O homem que está ao seu lado não acredita em nada – diz o xamã, sempre traduzido por Yao. – Veio aqui várias vezes para conversar com a esposa dele e, mesmo assim, não acredita. Pobre mulher! Em vez de poder caminhar junto de Deus enquanto aguarda o momento de seu retorno à Terra, precisa voltar toda hora para consolar esse infeliz. Deixa o calor do Sol divino e enfrenta este miserável frio da Sibéria porque o amor não a deixa partir!

O xamã dá uma gargalhada.

– Por que não explica isso a ele?

– Já expliquei. Mas tanto ele como a maioria das pessoas que conheço não se conformam com aquilo que consideram uma perda.

– Puro egoísmo.

– Sim, puro egoísmo. Querem que o tempo pare ou volte para trás. E por causa disso não permitem que as almas caminhem adiante.

O xamã dá outra gargalhada.

– Ele matou Deus no momento em que sua mulher passou para outro plano. Voltará aqui uma, duas, dez vezes e tentará de novo conversar com ela. Não vem pedir ajuda para entender melhor a vida. Quer que as coisas se adaptem à sua maneira de ver a vida e a morte.

Faz uma pausa. Olha à sua volta. Já está completamente escuro, a cena é iluminada apenas pela luz das chamas.

– Não sei curar o desespero quando as pessoas encontram conforto nele.

– Com quem estou falando?

– Você acredita.

Repito a pergunta.

– Valentina.

Uma mulher.

– O homem ao meu lado pode ser um pouco tolo quando se trata do espírito, mas é um ser humano excelente, preparado para viver quase tudo, menos o que chama a "morte" de sua esposa. O homem ao meu lado é um homem bom.

O xamã concorda com a cabeça.

– Você também. Acompanhou um amigo que está ao seu lado há muito tempo. Muito antes que se encontrassem nesta vida. Como eu também conheço você há muito tempo.

Mais uma gargalhada.

– Nós três já nos vimos em outro lugar, antes de enfrentarmos juntos o mesmo destino, aquilo que seu amigo chama de "morte", em uma batalha. Não sei o país, mas foram ferimentos à bala. Todos os guerreiros sempre tornam a se encontrar. Isso é parte da lei divina.

Ele atira algumas ervas no fogo, explicando que já fizemos isso em outra vida, nos sentamos em volta da fogueira para falar de nossas aventuras.

– O seu espírito conversa com a águia do Baikal. Que olha e vigia tudo, ataca os inimigos, protege e defende os amigos.

Como para confirmar suas palavras, escutamos um pássaro ao longe. A sensação de frio foi substituída por bem-estar. Ele torna a nos estender a garrafa.

– A bebida fermentada está viva, vai da juventude à velhice. Quando chega à maturidade, é capaz de destruir o Espírito da Inibição, o Espírito da Falta de Relações Humanas, o Espírito do Medo, o Espírito da Ansiedade. Porém, se bebida além da conta, ela se rebela e traz o Espírito da Derrota e da Agressão. Tudo é uma questão de saber o ponto que não se deve ultrapassar.

Bebemos e celebramos.

– Neste momento seu corpo está na terra, mas seu espírito está comigo aqui nas alturas, e isso é tudo o que posso lhe oferecer: um passeio nos céus do Baikal. Você não veio me pedir nada, portanto não lhe darei nada além desse passeio. Espero que o inspire a continuar a fazer o que faz.

"Seja abençoado. Da mesma maneira que está transformando sua vida, transforme a dos outros à sua volta. Quando pedirem, não se esqueça de dar. Quando baterem à sua porta, não deixe de abrir. Quando perderem algo e vierem até você, faça o que estiver ao seu alcance e encontre o que se perdeu. Mas, antes, peça, bata à porta e descubra tudo o que está perdido em sua vida. Um caçador sabe o que o espera: devorar a caça ou ser devorado por ela."

Eu faço um sinal afirmativo com a cabeça.

– Você já viveu isso antes e tornará a viver muitas vezes – continua o xamã. – Um amigo de seus amigos é um amigo da águia do Baikal. Nada de especial vai acontecer esta noite; você não terá visões, experiências mágicas, transes para se comunicar com os vivos nem com os mortos. Não receberá nenhum poder especial. Apenas exultará de alegria enquanto a águia do Baikal mostra o lago para a sua alma. Você não está vendo nada, mas seu espírito neste momento se delicia nas alturas.

Meu espírito se delicia nas alturas e eu não estou vendo nada. Não é preciso: sei que ele está falando a verdade. Quando voltar ao corpo, estará mais sábio e mais tranquilo do que nunca.

O tempo para, porque eu não consigo mais contá-lo. As chamas estão se movendo, projetando estranhas sombras no rosto do xamã, mas eu não estou apenas ali. Deixo que meu espírito passeie, ele estava precisando, depois de tanto esforço e tanto trabalho ao meu lado. Não sinto mais frio. Não sinto mais nada – estou livre e assim continuarei enquanto a águia do Baikal sobrevoa o lago e as montanhas nevadas. Pena que o espírito não pode me contar o que viu; mas, afinal de contas, não preciso saber tudo o que se passa comigo.

O vento começa a soprar de novo. O xamã faz uma profunda reverência para a terra e para o céu. O fogo, que estava tão bem protegido, de repente se apaga. Olho para a lua já bem alta no céu, posso ver o vulto de vários pássaros voando em torno de nós. O homem envelheceu de novo, parece cansado, está colocando o tambor em um grande saco bordado.

Yao se aproxima dele, coloca a mão no bolso esquerdo, tira um punhado de moedas e notas. Eu faço a mesma coisa.

– Mendigamos pela águia do Baikal. Aqui está o que recebemos.

Faz uma reverência, agradece o dinheiro e descemos sem pressa para o barco. A ilha sagrada dos xamãs tem o seu espírito próprio, está escuro e nunca sabemos se estamos colocando o pé no lugar certo.

Quando chegamos à margem, procuramos por Hilal, e as duas mulheres explicam que já voltou para o hotel. Só então me dou conta de que o xamã não mencionou uma simples palavra sobre ela.

O MEDO DO MEDO

A CALEFAÇÃO DO QUARTO ESTÁ NO MÁXIMO. Antes mesmo de procurar o interruptor de luz, retiro o casaco, o gorro, o cachecol e caminho até a janela com intenção de abri-la para renovar um pouco o ar. Como o hotel fica em uma pequena colina, posso ver as luzes do vilarejo se apagando. Fico um pouco ali, imaginando as maravilhas que meu espírito deve ter presenciado. E, quando faço menção de me virar, escuto a voz.

– Não se vire.

Hilal está ali. E o tom com que disse isso me assusta. Ela está falando sério.

– Estou armada.

Não, não pode ser. A não ser que aquelas mulheres...

– Recue um pouco.

Faço o que manda.

– Um pouco mais. Isso. Agora dê um passo à direita. Aí, não se mova mais.

Não estou mais pensando – o instinto de sobrevivência tomou conta de todas as minhas reações. Em segundos a mente processa quais as possibilidades que tenho de sobreviver: atirar-me no chão, tentar estabelecer uma conversa, ou simplesmente aguardar seu próximo passo. Se estiver realmente decidida a me matar, não deve demorar muito, mas, se não atirar no próximo minuto, começará a conversar e as chances estarão do meu lado.

Um ruído ensurdecedor, uma explosão e me vejo coberto de cacos de vidro. A lâmpada em cima da minha cabeça havia estourado.

– Na mão direita tenho o arco, na esquerda o violino. Não se vire.

Não me viro, mas respiro fundo. Não há qualquer magia ou efeito especial naquilo que acabara de acontecer: cantores de ópera conseguem o mesmo efeito com a voz – estilhaçar taças de champanhe, por exemplo, fazendo com que o ar vibre com tal frequência que coisas muito frágeis terminam se rompendo.

De novo o arco toca as cordas, arrancando o som estridente.

– Sei tudo o que aconteceu. Eu vi. As mulheres me conduziram até lá sem que houvesse necessidade de um anel de luz.

Ela viu.

Um imenso peso sai de minhas costas cheias de estilhaços da lâmpada. A viagem para aquele lugar, sem que Yao soubesse, era também minha viagem de volta ao meu reino. Eu não precisava dizer nada, ela tinha visto.

– Você me abandonou quando eu mais precisei. Eu morri por sua causa e voltei agora para assombrá-lo.

– Você não me assombra. Você não me assusta. Fui perdoado.

– Você forçou meu perdão. Eu o perdoei sem saber exatamente o que estava fazendo.

Mais um acorde agudo e desagradável.

– Se quiser, retire seu perdão.

– Não quero. Você está perdoado. E, se precisasse perdoar setenta vezes sete, eu o perdoaria. Mas as imagens apareceram confusas em minha cabeça. Preciso que você me conte exatamente o que aconteceu. Lembro apenas que estava nua, você me olhava, eu dizia a todos que o amava e por isso era condenada à morte. Meu amor me condenou.

– Posso me virar?

– Ainda não. Antes me conte o que aconteceu. Tudo o que sei é que em uma vida passada morri por sua causa. Pode ter sido aqui, pode ter sido em qualquer lugar do mundo, mas me sacrifiquei em nome de um amor, para salvá-lo.

Os meus olhos já se acostumaram com a escuridão, mas o calor no quarto é insuportável.

– O que as mulheres fizeram exatamente?

– Sentamos na margem do lago, elas acenderam uma fogueira, tocaram um tambor, entraram em transe e me deram algo para beber. Quando bebi, essas visões confusas começaram. Duraram muito pouco. Só me lembro do que acabo de lhe contar. Achei que não passava de um pesadelo, mas elas garantiram que já estivemos juntos em uma vida passada. Você me disse a mesma coisa.

– Não. Aconteceu no presente, está acontecendo agora. Neste momento estou em um quarto de hotel na Sibéria, num povoado cujo nome não sei. Estou também em um calabouço perto de Córdoba, na Espanha. Estou com minha mulher no Brasil, com as muitas mulheres que tive, e em algumas dessas vidas eu sou mulher. Toque.

Tiro o suéter. Ela começa a tocar uma sonata que não foi feita para violino; minha mãe tocava no piano quando eu era criança.

– Houve uma época em que o mundo também era mulher, sua energia era bela, as pessoas acreditavam em milagres, o momento presente era tudo o que tinham e por causa disso o tempo não existia. Os gregos têm duas palavras para o tempo. A primeira é Kairos, o tempo de Deus, a eternidade. De repente algo mudou. A luta pela sobrevivência, a necessidade de saber onde plantar para podermos colher e o tempo tal como o vivemos hoje passaram a fazer parte de nossa história. Os gregos chamam isso de Cronos; os romanos, de Saturno, um deus cuja primeira coisa que fez foi devorar seus filhos. Passamos a ser escravos da memória. Continue tocando e explico melhor.

Ela continua tocando. Começo a chorar, mas mesmo assim prossigo:

– Neste momento estou em um jardim numa vila, sentado num banco em frente à minha casa, olhando o céu e tentando descobrir o que as pessoas querem dizer quando usam a expressão "construir castelos no ar", que ouvi faz uma hora. Tenho 7 anos. Estou tentando construir um castelo dourado, mas tenho dificuldade de me concentrar. Meus amigos jantam em suas casas, minha mãe está tocando esta mesma música que escuto agora, só que ao piano. Se não fosse pela necessidade de narrar o que sinto, estaria inteiramente ali. O cheiro do verão, cigarras cantando nas árvores, pensando na menina por quem estou apaixonado.

Não estou no passado, estou no presente. Eu sou agora aquele menino que fui. Sempre serei aquele menino, todos nós seremos as crianças, os adultos, os velhos que fomos e que tornaremos a ser. Eu não estou LEMBRANDO. Estou VIVENDO de novo este tempo.

Não consigo continuar. Coloco as mãos no rosto e choro, enquanto ela toca cada vez com mais intensidade, mais perfeição, transportando-me para os muitos que sou nesta vida. Não choro pela minha mãe que partiu, porque ela está aqui agora, tocando para mim. Não choro pela criança que, surpresa com aquela expressão tão complicada, tenta construir seu castelo dourado que desaparece a cada segundo. A criança também está aqui escutando Chopin, sabe como é linda a música, já escutou tantas vezes e gostaria de escutar tantas mais! Choro porque não existe outra maneira de manifestar aquilo que sinto: ESTOU VIVO. Em cada poro, em cada célula do meu corpo, eu estou vivo, nunca nasci e nunca morri.

Posso ter meus momentos de tristeza, minhas confusões mentais, mas acima de mim está o grande Eu, que compreende tudo e ri das minhas agonias. Choro pelo efêmero e pela eternidade, por saber que as palavras são mais pobres que a música, e portanto eu jamais conseguirei descrever este momento. Deixo que Chopin, Beethoven, Wagner me conduzam ao passado que é presente – suas músicas são mais poderosas que todos os anéis dourados que conheço.

Choro enquanto Hilal toca. E ela toca até que eu me canse de chorar.

★ ★ ★

ELA VAI ATÉ O INTERRUPTOR. A LÂMPADA quebrada explode em um curto-circuito. O quarto continua às escuras; ela vai até a mesa de cabeceira e acende o abajur.

– Pode se virar agora.

Quando meus olhos se acostumam com a claridade, eu posso vê-la completamente nua, os braços abertos, com o violino e o arco nas mãos.

– Hoje você me disse que me amava como um rio. Agora eu quero te dizer que te amo como a música de Chopin. Simples e profunda, azul como o lago, capaz de...

– A música fala por si mesma. Não precisa dizer nada.

– Tenho medo. Muito medo. O que foi exatamente que eu vi?

Eu descrevo em detalhes tudo o que aconteceu na cela, minha covardia e a menina que eu via exatamente como ela estava agora, só que com as mãos atadas a cordas que não eram de um arco ou de um violino. Ela escuta em silêncio, mantendo os braços abertos, absorvendo cada palavra minha. Estamos os dois em pé no centro do quarto, seu corpo é branco como o da garota de 15 anos que neste momento está sendo conduzida a uma fogueira armada perto da cidade de Córdoba. Eu não poderei salvá-la, sei que vai desaparecer nas chamas junto com suas amigas. Isso já aconteceu uma vez, está acontecendo muitas outras vezes e tornará a acontecer enquanto o mundo continuar existindo. Comento que aquela menina tinha pelos púbicos e a que está agora diante de mim raspou os seus – algo que considero abominável, como se todos os homens buscassem sempre uma criança para ter relações sexuais. Peço que nunca mais faça isso, ela promete que jamais tornará a raspá-los.

Mostro meus eczemas na pele, que parecem mais visíveis e ativos que nunca, explico que são marcas do mesmo lugar e do mesmo passado. Pergunto se ela se lembra do que me disse, ou do que outras me disseram, enquanto seguiam em direção à fogueira. Ela faz um sinal negativo com a cabeça.

– Você me deseja?

– Muito. Estamos aqui a sós, neste lugar único no planeta, você está nua na minha frente. Eu a desejo muito.

– Tenho medo do meu medo. Estou pedindo perdão a mim mesma não por estar aqui, mas porque sempre fui egoísta em minha dor. Em vez de perdoar, busquei a vingança. Não porque fosse mais forte, mas porque sempre me senti mais fraca. Enquanto eu feria os outros, feria ainda mais a mim mesma. Humilhava para me sentir humilhada, atacava para me sentir violentada por meus próprios sentimentos.

"Sei que não sou a única a ter passado pelo tipo de coisa que comentei na mesa da embaixada, da maneira mais trivial possível: ser violada por um vizinho que era amigo de minha família. Disse naquela noite que não era tão raro assim e tenho certeza de que pelo menos uma das mulheres ali tinha sofrido abuso sexual na infância. Mesmo assim, nem todas se comportam da mesma maneira que eu. Não consigo estar em paz comigo mesma."

Respira fundo, procurando palavras, e continua:

– Não consigo superar aquilo que todo mundo supera. Você está em busca do seu tesouro e eu sou parte dele. Mesmo assim, me sinto uma estrangeira na minha própria pele. Não quero me atirar em seus braços, beijá-lo e fazer amor com você agora por uma única razão: não tenho coragem, tenho medo de perdê-lo. Mas, enquanto você estava buscando o seu reino, eu encontrava a mim mesma, até que, em determinado momento durante a viagem, parei de progredir. Foi quando me tornei mais agressiva. Eu me sinto rejeitada, inútil, e não existe nada que você possa me dizer que vá me fazer mudar de ideia.

Sento na única cadeira do quarto e peço que se sente no meu colo. Seu corpo também está suado por causa do calor do quarto. Ela mantém o violino e o arco nas mãos.

– Tenho muitos medos – digo. – E continuarei tendo. Não vou tentar explicar nada. Mas existe algo que você pode fazer neste minuto.

– Não quero continuar dizendo para mim mesma que isso vai passar um dia. Não vai. Tenho que aprender a conviver com meus demônios!

– Espere. Não fiz esta viagem para salvar o mundo, muito menos para salvar você. Mas a Tradição mágica diz que é possível transferir a dor. Ela não desaparece logo, mas vai sumindo à medida que você a transfere para outro lugar. Você tem feito isso de maneira inconsciente toda a sua vida. Agora sugiro que faça de maneira consciente.

– Não sente vontade de fazer amor comigo?

– Muita vontade. Neste momento, apesar de o quarto estar quentíssimo, eu posso sentir um calor ainda mais forte nas minhas pernas, no lugar onde seu sexo está tocando. Não sou um super-homem. Por isso peço que transfira sua dor e meu desejo.

"Peço que se levante, vá para seu quarto e toque até a exaustão. Somos os únicos nesta pousada, de modo que ninguém irá reclamar do barulho. Coloque todo o seu sentimento na música, e amanhã faça a mesma coisa. Sempre que tocar, lembre-se que aquilo que tanto a machucou se transformou em um dom. Ao contrário do que você diz, outras pessoas jamais superaram o trauma, apenas esconderam em um lugar que não visitam nunca. Mas, no seu caso, Deus lhe mostrou o caminho. A fonte da regeneração está neste momento em suas mãos."

– Eu te amo como amo Chopin. Sempre desejei ser pianista, mas o violino era tudo o que meus pais podiam comprar naquela época.

– Eu te amo como um rio.

Ela se levanta e começa a tocar. O céu escuta a música, os anjos descem para assistir junto comigo àquela mulher nua que às vezes fica parada, às vezes balança seu corpo acompanhando o instrumento. Eu a desejei e fiz amor com ela, sem tocá-la e sem ter um orgasmo. Não porque eu fosse o homem mais fiel do mundo, mas porque essa era a maneira de nossos corpos se encontrarem – com os anjos assistindo a tudo.

Pela terceira vez naquela noite – quando meu espírito voou com a águia do Baikal, quando escutei uma canção de infância e agora –, o tempo tinha parado. Estava ali por inteiro, sem passado e sem futuro, vivendo junto com ela a música, a prece inesperada, a gratidão por ter saído em busca do meu reino. Deitei-me na cama, e ela continuou tocando. Adormeci ao som do seu violino.

Acordei com o primeiro raio de sol, fui até o quarto dela e vi o seu rosto – pela primeira vez, ela parecia realmente ter 21 anos. Despertei-a delicadamente e pedi que se vestisse porque Yao nos esperava para o café. Precisávamos voltar logo a Irkutsk, pois o trem partiria em algumas horas.

Descemos, comemos peixe marinado (única alternativa àquela hora) e escutamos o barulho do carro que chega para nos buscar. O motorista nos deseja bom-dia, pega nossas mochilas e as coloca na mala.

Saímos com o sol brilhando, o céu limpo, nenhum vento; as montanhas nevadas ao longe estão claramente visíveis. Paro para me despedir do lago, sabendo que possivelmente nunca mais tornarei a vir até aqui na minha vida. Yao e Hilal entram no carro, o motorista liga o motor.

Mas eu não consigo me mover.

– Vamos. Temos uma hora de margem, caso haja algum acidente na estrada, mas não quero correr nenhum risco.

O lago me chama.

Yao desce do carro e se aproxima.

– Talvez você esperasse mais do encontro com o xamã. Mas para mim foi importante.

Não, eu esperava menos. Mais tarde comentaria com ele o que acontecera com Hilal. Agora eu olho o lago amanhecendo junto com o sol, suas águas refletindo cada raio. Meu espírito o visitara junto com a águia do Baikal, mas eu preciso conhecê-lo melhor.

– Enfim, às vezes as coisas não são como pensamos – continua ele. – Mas de qualquer maneira agradeço por ter vindo.

– É possível desviar-se do caminho que Deus traçou? Sim, mas é sempre um erro. É possível evitar a dor? Sim, mas você jamais aprenderá alguma coisa. É possível conhecer as coisas sem verdadeiramente experimentá-las? Sim, mas elas nunca farão realmente parte de você.

E com essas palavras vou andando em direção às águas que me chamam. Primeiro devagar, hesitante, sem saber se conseguirei chegar até lá. Aos poucos, notando que minha razão me puxa para trás, começo a aumentar a velocidade, correr, enquanto vou arrancando minhas roupas de inverno. Quando chego à margem do lago, estou só de cuecas. Durante um momento, uma fração de segundo, eu hesito. Mas a dúvida não é forte o suficiente para me impedir de seguir adiante. A água gelada toca meus pés, meus tornozelos, noto que o fundo é cheio de pedras e custo a me equilibrar, mas mesmo assim sigo adiante, até que o lugar seja suficientemente profundo para:

MERGULHAR!

Meu corpo entra na água gelada, sinto que milhares de agulhas se cravam na minha pele, aguento quanto posso, talvez alguns segundos, talvez uma eternidade, e logo volto à tona.

Verão! Calor!

Mais tarde iria entender que todos aqueles que saem de um lugar extremamente gelado para outro com temperatura mais alta experimentam a mesma sensação. Ali estava eu, sem camisa, com as águas do Baikal até os joelhos, alegre como uma criança porque tinha sido envolvido por toda aquela força que agora fazia parte de mim.

Yao e Hilal tinham me seguido e me olham da margem. Incrédulos.

– Venham! Venham!

Os dois começam a se despir. Hilal não veste nada por baixo, está de novo completamente nua, mas que importância tem isso? Algumas pessoas se juntam no píer e nos observam. Mas também, quem se importa? O lago é nosso. O mundo é nosso.

Yao entra primeiro, não nota o fundo irregular e cai. Torna

a se levantar, anda mais um pouco e mergulha. Hilal deve ter levitado entre as pedras, porque entra correndo, vai mais longe que todos nós, dá um longo mergulho, abre os braços para os céus e ri, ri como uma louca.

Do momento em que comecei a correr em direção ao lago até a hora que saímos, não se passaram mais de cinco minutos. O motorista, preocupadíssimo, chega correndo também com algumas toalhas que conseguiu às pressas no hotel. Nós três saltamos de alegria, abraçados, cantando, gritando e dizendo "Está quente aqui fora!", como as crianças que nunca, nunca em nossa vida deixaremos de ser.

A CIDADE

ACERTO O RELÓGIO, A ÚLTIMA VEZ QUE farei isso nesta viagem: são cinco da manhã do dia 30 de maio de 2006. Em Moscou, com sete horas de diferença, as pessoas ainda estão jantando na noite do dia 29.

Todos no vagão acordaram cedo ou não conseguiram dormir. Não por causa do balanço do trem, com o qual já nos acostumamos, mas porque daqui a pouco chegaremos a Vladivostok, a estação final. Passamos esses dois dias no vagão, grande parte em torno daquela mesa que durante toda esta eternidade foi o centro de nosso universo. Comemos, contamos histórias e descrevi as sensações do mergulho no Baikal, embora as pessoas estivessem mais interessadas no encontro com o xamã.

Meus editores tiveram uma ideia genial: avisar às cidades seguintes onde havia paradas a que horas o trem chegaria. Fosse dia ou fosse noite eu descia do vagão, as pessoas me esperavam na plataforma, me davam os livros para assinar, me agradeciam e eu agradecia de volta. Às vezes ficávamos por cinco minutos, às vezes por vinte. Elas me abençoavam, e eu aceitava todas as bênçãos que me eram dadas, tanto por velhas senhoras com casacos compridos, botas e lenços amarrados na cabeça como por rapazes que saíam do trabalho ou estavam voltando para casa, geralmente vestidos com um simples blusão, como a dizer para todos: "Eu sou mais forte que o frio."

No dia anterior resolvera percorrer o trem inteiro. Sempre tinha pensado nisso, mas acabava deixando para outro dia, já que tínhamos uma longa viagem diante de nós. Até que me dei conta de que estávamos quase chegando.

Pedi a Yao que me acompanhasse. Abrimos e fechamos uma infinidade de portas, impossível contar quantas. Só então entendi que não estava em um trem, mas em uma cidade, em um país, em todo o Universo. Deveria ter feito isso antes – a viagem teria sido mais rica, poderia descobrir pessoas interessantíssimas, escutar histórias que talvez pudesse transformar em livros.

Durante a tarde inteira percorri aquela cidade sobre trilhos, descendo apenas nas paradas para o encontro com os leitores que esperavam nas estações. Caminhei por esta cidade grande como por tantas outras neste mundo e assisti às mesmas cenas: o homem que fala ao celular, o rapaz que corre para pegar algo que esqueceu no vagão-restaurante, a mãe com o bebê no colo, dois jovens que se beijam no estreito corredor ao lado das cabines, sem prestar atenção à paisagem que desfila do lado de fora, rádios em alto volume, sinais que não consigo decifrar, pessoas que oferecem coisas ou pedem algo, um homem de dente de ouro que ri junto com seus companheiros, uma mulher com lenço no cabelo que chora olhando o vazio. Fumei alguns cigarros junto com um grupo de pessoas para atravessar a estreita porta que leva ao próximo vagão, olhei disfarçadamente os homens pensativos, bem-vestidos, que pareciam carregar o mundo nas costas.

Caminhei por aquela cidade que se estende como um grande rio de aço que não para de correr, onde não falo a língua local, mas que diferença isso faz? Escutei todo tipo de idioma e som, e observei que, como acontece nas grandes cidades, a maioria das pessoas não conversava com ninguém –

cada passageiro imerso em seus problemas e sonhos, obrigado a conviver com três estranhos na mesma cabine, gente que nunca mais tornará a se encontrar e que tem seus próprios problemas e sonhos com que se ocupar. Por mais miseráveis ou solitários que estejam, por mais que precisem dividir a alegria de uma conquista ou a tristeza que sufoca, melhor e mais seguro ficar em silêncio.

Resolvi abordar alguém – uma mulher que imaginava ter minha idade. Perguntei por onde estávamos passando. Yao começou a traduzir minhas palavras, mas pedi que não me ajudasse, precisava imaginar como seria fazer esta viagem sozinho: conseguiria chegar ao fim? A mulher fez um sinal com a cabeça, mostrando que não tinha entendido o que eu dissera, o ruído das rodas sobre os trilhos era muito alto. Repeti a pergunta, desta vez ela escutou minhas palavras, mas não entendeu nada. Deve ter achado que sou louco e seguiu adiante.

Tentei uma segunda, uma terceira pessoa. Mudei a pergunta, queria saber por que estavam viajando, o que faziam naquele trem. Ninguém entendeu o que eu queria e me alegrei com isso, porque minha pergunta é ridícula, todos sabem o que estão fazendo, aonde estão indo – inclusive eu, embora talvez não tenha chegado até onde desejasse. Alguém que se esgueirava entre nós pelo estreito corredor me ouviu falando inglês, parou e disse com voz calma:

– Posso ajudá-lo? O senhor está perdido?

Não, não estou perdido. Onde estamos passando?

– Estamos na fronteira da China, em breve viraremos à direita e desceremos para Vladivostok.

Agradeci e continuei adiante. Havia conseguido estabelecer um diálogo, poderia viajar sozinho, jamais estaria perdido enquanto existisse tanta gente para me ajudar.

Caminhei pela cidade que parece não terminar nunca e voltei ao ponto de onde parti carregando comigo os risos, os olhares, os beijos, as músicas, as palavras em tantas línguas diferentes, a floresta que passava do lado de fora e que seguramente jamais tornarei a ver na minha vida, portanto ela permanecerá sempre comigo, na minha retina e no meu coração.

Voltei à mesa que tem sido o centro do nosso universo, escrevi umas linhas e coloquei no lugar onde Yao sempre pregava seus pensamentos diários.

★ ★ ★

Leio o que escrevi ontem, depois do passeio pelo trem.

"Não sou um estrangeiro porque não fiquei rezando para voltar em segurança, não perdi meu tempo imaginando como estaria a minha casa, a minha mesa, o meu lado da cama. Não sou um estrangeiro porque estamos todos viajando, temos as mesmas perguntas, o mesmo cansaço, os mesmos medos, o mesmo egoísmo e a mesma generosidade. Não sou um estrangeiro porque, quando precisei, recebi. Quando bati, a porta se abriu. Quando procurei, encontrei o que achava."

Lembro-me que foram essas as palavras do xamã. Em breve aquele vagão voltará ao seu ponto de partida. Aquele papel desaparecerá assim que a faxineira entrar para limpá-lo. Mas eu não me esquecerei nunca do que escrevi: porque não sou e nunca serei um estrangeiro.

★ ★ ★

Hilal ficou a maior parte do tempo em sua cabine, tocando desesperadamente o violino. Às vezes sentia que conversava com os anjos, outras vezes era apenas uma repetição para manter a prática e a técnica. No caminho de volta para Irkutsk, tive certeza de que em meu passeio com a águia do Baikal eu não estava só. Nossos espíritos tinham visto juntos as mesmas maravilhas.

Na noite anterior pedi que de novo dormíssemos juntos. Havia tentado fazer o exercício do anel luminoso sozinho, mas não conseguira nenhum resultado além de me conduzir – sem que eu assim desejasse – ao escritor que fui na França do século XIX. Ele (ou eu) terminava um parágrafo:

"Os momentos que antecedem o sonho são semelhantes à imagem da morte. O torpor nos invade, e passa a ser impossível determinar quando o 'EU' passa a existir sob outra forma. Nossos sonhos são nossa segunda vida: sou incapaz de cruzar os portões que nos levam ao mundo invisível sem sentir um calafrio."

Esta noite ela se deitou ao meu meu lado, coloquei a cabeça no seu peito e ficamos em silêncio – como se nossas almas já se conhecessem há muito tempo e não houvesse mais necessidade de palavras, apenas deste contato físico. Finalmente consegui que o anel dourado me levasse exatamente ao local onde queria estar: a cidade perto de Córdoba.

A sentença é pronunciada em público, no meio da praça, como se estivéssemos em uma grande festa popular. As oito moças vestem uma roupa branca até os tornozelos, tremem de frio, mas em breve experimentarão o calor do fogo do Inferno – aceso pelos homens que julgam agir em nome do Céu. Pedi ao meu superior que me dispensasse de estar entre os membros da Igreja. Não precisei convencê-lo, acredito que esteja furioso com minha covardia e me deixe ir aonde desejar. Estou misturado à multidão, envergonhado, a cabeça sempre coberta com o capuz do meu traje de dominicano.

Durante todo aquele dia chegaram curiosos das cidades vizinhas e, mesmo antes de a tarde cair, já lotavam a praça. Os nobres vieram em seus trajes mais coloridos, estão sentados na primeira fila em suas cadeiras especiais. As mulheres tiveram tempo de fazer o cabelo e colocar maquiagem, de modo que todos possam apreciar o que julgam ser uma manifestação de beleza. Nos olhares dos presentes há algo além de curiosidade; um sentimento de vingança parece ser a emoção comum. Não se trata de alívio ao ver os culpados sendo punidos, mas de represália pelo fato de serem bonitas, jovens, sensuais e filhas de gente muito rica. Elas merecem ser castigadas por tudo o que grande parte das pessoas ali deixou para trás em sua juventude, ou nunca conseguiu alcançar. Vinguemo-nos então da beleza. Vinguemo-nos da alegria, dos risos e da esperança. Em um mundo como esse, não há lugar para sentimentos que comprovam que todos nós somos miseráveis, frustrados, impotentes.

O inquisidor celebra uma missa em latim. Em um dado momento, durante o sermão em que admoesta as pessoas sobre as terríveis penas que aguardam os culpados de heresia, escutam-se gritos. São os pais das jovens prestes a serem queimadas, até então mantidos do lado de fora da praça, mas que conseguiram furar a barreira e entrar.

O inquisidor interrompe o sermão, a multidão vaia, os guardas se dirigem até eles e conseguem arrancá-los dali.

Chega uma carroça puxada por bois. As moças colocam os braços para trás, suas mãos são amarradas e os dominicanos as ajudam a subir. Os guardas fazem um cordão de segurança em torno do veículo, a multidão abre espaço e os bois com sua carga macabra são conduzidos em direção à fogueira que será acesa em uma campina próxima.

As moças mantêm a cabeça baixa, de onde estou é impossível saber se há medo ou lágrimas em seus olhos. Uma delas foi torturada tão barbaramente que não consegue ficar em pé sem a ajuda das outras. Os soldados tentam com muita dificuldade controlar a multidão que ri, insulta, atira coisas. Vejo que a carroça vai passar perto de onde estou, tento sair dali, mas é tarde. A massa compacta de homens, mulheres e crianças atrás de mim não me deixa mover-me.

Elas se aproximam, as vestes brancas agora sujas de ovos, cerveja, vinho, pedaços de casca de batata. Deus tenha piedade. Espero que, no momento que a fogueira for acesa, elas peçam de novo perdão pelos seus pecados – pecados que todos nós ali jamais podemos imaginar que um dia serão transformados em virtudes. Se pedirem absolvição, um frade escutará mais uma vez suas confissões, entregará suas almas a Deus, e todas serão estranguladas com uma corda colocada em volta do pescoço e passada por detrás da estaca. Apenas seus cadáveres serão queimados.

Se insistirem na inocência, serão queimadas vivas.

Já assisti a outras execuções como as desta noite. Espero sinceramente que os pais das meninas tenham dado dinheiro ao carrasco; assim, um pouco de óleo será misturado à madeira, o fogo arderá com rapidez, e a fumaça as intoxicará antes que o fogo comece a consumir primeiro os cabelos, depois os pés, as mãos, a face, as pernas e finalmente o tronco. Entretanto, se não houve oportunidade de suborná-lo, elas serão queimadas lentamente, um sofrimento que é impossível de descrever.

A carroça agora está diante de mim. Abaixo a cabeça mas uma delas me vê. Todas se viram, e eu me preparo para ser ofendido e agredido porque mereço, sou o mais culpado de todos, aquele que lavou as mãos quando uma simples palavra podia mudar tudo.

Elas me chamam. As pessoas em volta me olham, surpresas – eu conhecia aquelas bruxas? Se não fosse meu hábito de dominicano, possivelmente estaria sendo espancado. Uma fração de segundo depois, as pessoas ao meu redor se dão conta de que devo ser um dos que as condenaram. Alguém me dá um tapa de congratulações nas costas, uma mulher me diz: "Parabéns pela sua fé."

Elas continuam me chamando. E eu, que já cansei de ser covarde, resolvo levantar a cabeça e olhá-las.

Nesse momento, tudo fica congelado e não consigo ver além.

Pensei em levá-la até o Aleph, tão próximo de nós, mas era esse mesmo o sentido da minha viagem? Manipular uma pessoa que me ama apenas para ter uma resposta sobre algo que me atormenta: isso me faria realmente voltar a ser o rei do meu reino? Se eu não conseguisse agora, conseguiria mais adiante – outras três mulheres com toda a certeza esperavam em meu caminho, se tivesse coragem de percorrê-lo até o final. Com quase toda a certeza eu não partiria desta encarnação sem saber a resposta.

★ ★ ★

JÁ É DIA, A CIDADE GRANDE APARECE nas janelas laterais, as pessoas se levantam sem nenhum entusiasmo ou felicidade por estarmos chegando. Talvez a nossa viagem esteja realmente começando aqui.

A velocidade vai diminuindo, a cidade de aço começa a parar lentamente, desta vez de maneira definitiva. Viro-me para Hilal e digo:

– Desça ao meu lado.

Ela desce comigo. As pessoas esperam do lado de fora. Uma moça de olhos grandes empunha um grande cartaz com a bandeira do Brasil e palavras escritas em português. Os jornalistas se aproximam, eu agradeço a todos os russos pelo carinho a cada momento em que cruzava o gigantesco continente asiático. Recebo flores, os fotógrafos pedem que eu pose para algumas fotos diante de uma grande coluna em bronze, encimada por uma águia de duas cabeças, com a seguinte gravação em sua base:

9.288.

Não é necessário acrescentar "quilômetros". Todos que chegaram até aqui sabem o que aquele número quer dizer.

O TELEFONEMA

O BARCO NAVEGA CALMAMENTE PELO OCEANO Pacífico enquanto o sol começa a descer por detrás das colinas onde está a cidade. A tristeza que pensei ver em meus companheiros de trem assim que chegamos deu lugar a uma euforia descontrolada. Todos nos comportamos como se fosse a primeira vez que víssemos o mar, ninguém quer pensar que logo estaremos dizendo "adeus", prometendo que voltaremos a nos ver muito em breve, convencidos de que essa promessa é apenas para tornar a partida mais fácil.

A viagem está acabando, a aventura está chegando ao fim e, em três dias, estaremos todos voltando para nossas casas, onde abraçaremos nossas famílias, veremos nossos filhos, olharemos a correspondência que se acumulou, mostraremos as centenas de fotos que tiramos, contaremos histórias sobre o trem, as cidades por que passamos, as pessoas que cruzaram nosso caminho.

Tudo para convencer a nós mesmos de que aquilo aconteceu. Daqui a três dias, de volta à rotina diária, a sensação será de que nunca saímos e fomos para tão longe. Claro, temos as fotos, os bilhetes, as lembranças que compramos pelo caminho, mas o tempo – único, absoluto, eterno senhor de nossas vidas – estará nos dizendo: você sempre esteve aqui nesta casa, neste quarto, neste computador.

Duas semanas? O que é isso em uma vida inteira? Nada mudou nesta rua, seus vizinhos continuam comentando os mesmos assuntos, o jornal que você foi comprar de manhã traz exatamente as mesmas notícias: a Copa do Mundo que está para começar na Alemanha, as discussões sobre um Irã com bomba atômica, os conflitos entre israelenses e palestinos, os escândalos das celebridades, as constantes reclamações sobre as coisas que o governo prometeu e não fez.

Não, nada mudou. Apenas nós – que viajamos em busca de nosso reino e descobrimos terras que nunca tínhamos pisado antes – sabemos que estamos diferentes. Mas quanto mais explicamos, mais nos convencemos de que essa viagem, como todas as anteriores, existe apenas em nossa memória. Talvez para contar para os netos, ou eventualmente escrever um livro a respeito; mas o que exatamente poderemos dizer?

Nada. Talvez o que aconteceu lá fora, mas nunca o que se transformou aqui dentro.

Talvez não nos vejamos nunca mais. E a única pessoa que neste momento tem os olhos no horizonte é Hilal. Deve estar pensando em como resolver este problema. Não, para ela a Transiberiana não termina aqui. Mesmo assim, não deixa transparecer o que sente e, quando as pessoas puxam conversa, responde de maneira educada e gentil. Coisa que nunca foi durante o tempo em que convivemos.

★   ★   ★

YAO PROCURA FICAR AO SEU LADO. Já tentou duas ou três vezes, mas ela sempre termina se afastando depois de trocar algumas frases. Ele desiste e vem até onde estou.

– O que posso fazer?

– Respeitar seu silêncio, penso.

– Também penso a mesma coisa. Mas você sabe...

– Sim, eu sei. Entretanto, por que não se preocupa com você mesmo? Lembre-se das palavras do xamã: você matou Deus. É hora de ressuscitá-lo ou esta viagem terá sido inútil. Conheço muita gente que procura ajudar os outros apenas para se afastar de seus próprios problemas.

Yao me dá um tapa nas costas, como se dissesse "Eu entendo", e me deixa sozinho com a visão do oceano.

Agora que estou no lugar mais distante, minha mulher está ao meu lado. Durante a tarde encontrei meus leitores, tivemos a festa de sempre, visitei o prefeito, segurei pela primeira vez na vida uma Kalashnikov de verdade que ele guardava em seu escritório. Na saída, notei um jornal em cima da sua mesa. Mesmo sem entender uma palavra de russo, as fotos falavam por si: jogadores de futebol.

A Copa do Mundo vai começar daqui a alguns dias! Ela me espera em Munique, onde nos encontraremos em breve, direi quanto senti saudades e contarei em detalhes tudo o que aconteceu comigo e Hilal.

Ela responderá: "Já escutei essa história quatro vezes." E sairemos para beber em alguma cervejaria alemã.

A viagem não foi para encontrar a frase que estava faltando na minha vida, mas para voltar a ser o rei de meu mundo. Ele está aqui, agora, estou de novo conectado comigo e com o universo mágico à minha volta.

Sim, poderia ter chegado às mesmas conclusões sem sair do Brasil, mas, da mesma maneira que o pastor Santiago em um dos meus livros, é preciso ir para longe antes de compreender o que está perto. A chuva, voltando para a terra, traz coisas do ar. O mágico, o extraordinário, está o tempo todo comigo e com todos os seres do Universo, mas de vez em quando nos esquecemos disso e precisamos relembrar, mesmo que seja necessário cruzar o maior continente do mundo de uma ponta à outra. Voltamos carregados de tesouros, que podem ser novamente enterrados e, mais uma vez, teremos que partir para buscá-los. É isto que faz a vida interessante: acreditar em tesouros e em milagres.

– Vamos celebrar. Há vodca no barco?

Não há vodca no barco, e Hilal me olha com raiva.

– Celebrar o quê? O fato de que agora ficarei aqui sozinha, pegarei de volta esse trem e durante dias e noites intermináveis de viagem estarei pensando em tudo o que vivemos juntos?

– Não. Preciso celebrar o que vivi, fazer um brinde a mim mesmo. E você precisa brindar à sua coragem. Partiu em busca de aventura e a encontrou. Depois de um pequeno período de tristeza, alguém acenderá um fogo em uma montanha próxima.

"Você verá a luz, irá até lá e encontrará o homem que buscou sua vida inteira. Você é jovem, notei durante a noite passada que não eram mais as suas mãos que tocavam o violino, mas as mãos de Deus. Deixe que Deus use suas mãos. Você será feliz, mesmo que agora se sinta desesperada."

– Você não entende o que estou sentindo. Você é um egoísta, achando que o mundo lhe deve muita coisa. Eu me entreguei por completo e mais uma vez sou abandonada no meio do caminho.

Não adianta discutir, mas sei que aquilo que disse terminará acontecendo. Tenho 59 anos; ela, 21.

★   ★   ★

Voltamos ao lugar onde estamos hospedados. Desta vez não é um hotel, mas uma gigantesca casa que foi construída em 1974, para o encontro sobre desarmamento entre o então secretário-geral do Partido Comunista da União Soviética, Leonid Brejnev, e o presidente americano Gerald Ford. É toda em mármore branco, com um imenso hall no centro, e possui uma série de quartos que no passado devem ter servido a delegações de políticos, mas que hoje são usados por alguns convidados.

Nossa intenção é tomar banho, trocar de roupa e sair imediatamente para jantar na cidade, longe daquele ambiente frio. Mas há um homem parado exatamente no centro do hall. Meus editores se aproximam. Yao e eu aguardamos a uma distância prudente.

O homem pega o celular e digita um número. Meu editor fala de maneira respeitosa, seus olhos parecem brilhar de alegria. Minha editora sorri. A voz ecoa pelas paredes de mármore.

– Está entendendo? – pergunto.

– Sim, estou entendendo – responde Yao. – E você vai saber no próximo minuto.

Meu editor desliga o telefone e vem até mim com um sorriso de alegria.

– Voltamos para Moscou amanhã – diz. – Precisamos estar lá às cinco horas da tarde.

– Não íamos ficar mais dois dias aqui? Nem sequer tive tempo de conhecer a cidade. Além do mais, são nove horas de voo. Como poderemos chegar lá às cinco horas da tarde?

– São sete horas de diferença de fuso. Se sairmos ao meio-dia, chegaremos às duas da tarde. Tempo de sobra. Vou cancelar o restaurante e pedir que sirvam o jantar aqui: preciso tomar todas as providências.

– Mas por que tanta urgência? Meu avião para a Alemanha parte...

Ele me interrompe no meio da frase.

– Parece que o presidente Vladimir Putin leu tudo sobre sua viagem. E gostaria de encontrá-lo pessoalmente.

A ALMA DA TURQUIA

—E eu?

O editor vira-se para Hilal.

– Você veio porque quis. E voltará como e quando quiser. Não temos nada com isso.

O homem que tinha o telefone celular já desapareceu de vista. Meus editores saíram, e Yao foi atrás deles. Ficamos apenas nós dois ali no centro do gigantesco e opressivo saguão branco.

Tudo foi muito rápido, e nós ainda não nos recuperamos do choque. Não imaginava que Putin sabia da minha viagem. Hilal não acreditava em um desfecho tão abrupto, tão repentino, sem que tivesse mais uma oportunidade de me falar de amor, explicar como tudo aquilo era importante para nossas vidas e como deveríamos seguir adiante, mesmo que eu fosse casado. Pelo menos é o que imagino que está se passando em sua cabeça.

– VOCÊ NÃO PODE FAZER ISSO COMIGO! VOCÊ NÃO PODE ME DEIXAR AQUI! SE VOCÊ JÁ ME MATOU UMA VEZ PORQUE NÃO TEVE CORAGEM DE DIZER NÃO, IRÁ ME MATAR DE NOVO!

Ela corre para seu quarto e eu temo o pior. Se está falando sério, tudo é possível naquele momento. Quero telefonar para meu editor, pedir que compre uma passagem para ela – ou estaremos diante de uma tragédia, não haverá mais encontro com Putin, não haverá mais reino, redenção ou conquista, a grande aventura termina em suicídio e morte. Disparo em direção ao seu quarto, no segundo andar da casa, mas ela já abriu as janelas.

– Pare! Você não vai morrer saltando desta altura. Tudo o que conseguirá é ficar aleijada para o resto da vida!

Ela não está me escutando. Preciso ser mais calmo, controlar a situação. É minha vez de mostrar a mesma autoridade que ela teve no Baikal, quando pediu que eu não me virasse para vê-la nua. Milhares de coisas me passam pela cabeça naquele instante. E eu apelo para a mais fácil.

– Eu te amo. Jamais deixarei você sozinha aqui.

Ela sabe que não é verdade, mas palavras de amor têm um efeito instantâneo.

– Você me ama como um rio. Mas eu te amo como mulher.

Hilal não deseja morrer. Se fosse o caso, teria ficado calada. Mas sua voz, além das palavras pronunciadas, está dizendo: "Você é uma parte de mim, a mais importante, que está ficando para trás. Jamais tornarei a ser quem era." Está completamente enganada, mas esse não é o momento de explicar o que não conseguirá compreender.

– Eu te amo como mulher. Como já te amei antes e continuarei te amando enquanto o mundo existir. Já expliquei mais de uma vez: o tempo não passa. Quer que eu repita tudo de novo?

Ela se vira.

– É mentira. A vida é um sonho, do qual só despertamos quando encontramos a morte. O tempo passa enquanto vivemos. Sou uma musicista, lido com o tempo nas minhas notas musicais. Se ele não existisse, não haveria música.

Está falando coisas coerentes. Eu a amo. Não como mulher, mas eu a amo.

– A música não é uma sucessão de notas. É a constante passagem de uma nota entre o som e o silêncio. Você sabe disso – argumento.

– O que você sabe de música? Mesmo que fosse assim, que importância isso tem agora? Se você é prisioneiro do seu passado, saiba que eu também sou! Se te amei em uma vida, continuarei te amando para sempre!

"Não tenho mais coração, nem corpo, nem alma, nada! Tenho apenas amor. Você acha que existo, mas é uma ilusão de seus olhos, o que está vendo é o Amor em seu estado puro, querendo mostrar-se, mas não existe nem tempo nem espaço onde ele possa se manifestar."

Ela se afasta da janela e começa a andar de um lado para outro do quarto. Não tinha a menor intenção de se atirar. Além dos seus passos no chão de madeira, tudo o que escuto é o infernal tique-taque de um relógio, provando que estou errado, o tempo existe e nos consome naquele momento. Se Yao estivesse aqui poderia me ajudar a acalmá-la, ele que se sente bem sempre que pode fazer algo pelos outros. Pobre homem, em cuja alma o vento negro da solidão ainda sopra.

– Volte para a sua mulher! Volte para aquela que sempre esteve ao seu lado nos momentos fáceis e difíceis! Ela é generosa, meiga, tolerante, e eu sou tudo aquilo que você detesta: complicada, agressiva, obsessiva, capaz de tudo!

– Não fale assim de minha mulher!

De novo estou perdendo o controle da situação.

– Falo o que eu quiser! Você nunca teve controle sobre mim e nunca terá!

Calma. Continue falando e ela se tranquilizará. Mas jamais vi alguém em tal estado.

– Alegre-se porque ninguém tem controle sobre você. Celebre o fato de que teve coragem, arriscou sua carreira, partiu em busca de aventura e a encontrou. Lembre-se do que eu disse no barco: alguém acenderá o fogo sagrado para você. Hoje já não são mais suas mãos que tocam o violino, os anjos estão ajudando. Permita que Deus use suas mãos. A amargura desaparecerá cedo ou tarde, alguém que o destino colocou no seu caminho irá finalmente chegar com um ramo de felicidade nas mãos e tudo correrá bem. Será assim, mesmo que neste momento você se sinta desesperada e ache que estou mentindo.

Tarde demais.

Falei as frases erradas, que podiam ser resumidas em uma só: "Cresça, menina." De todas as mulheres que conheci, nenhuma delas aceitaria aquela desculpa idiota.

Hilal pega um pesado abajur de metal, arranca-o da tomada e parte em minha direção. Eu consigo agarrá-lo antes que me atinja a face, mas ela agora me espanca com toda a força e fúria. Jogo o abajur a uma distância segura e tento segurar seus braços, mas não consigo. Um soco atinge meu nariz, o sangue espirra por todos os lados.

Eu e ela estamos cobertos de meu sangue.

A alma da Turquia entregará ao seu marido todo o amor que ela possui. Mas irá derramar o sangue dele antes de revelar o que busca.

– Venha!

* * *

O MEU TOM HAVIA MUDADO POR completo. Ela para de me agredir. Eu a pego pelo braço e começo a arrastá-la para fora.

– Venha comigo!

Não dá tempo de explicar nada agora. Desço as escadas correndo, com Hilal mais assustada que furiosa. Meu coração está disparado. Saímos do prédio. O carro que iria me levar para jantar está ali esperando.

– Para a estação de trem!

O motorista me olha sem compreender nada. Eu abro a porta, empurro-a para dentro, entro em seguida.

– Diga para ele ir imediatamente para a estação de trem!

Ela repete a frase em russo, o motorista dá a partida.

– Diga que não respeite nenhum limite de velocidade. Depois eu dou um jeito. Precisamos ir para lá agora!

O homem parece gostar do que ouviu. Sai em disparada, os pneus cantando em cada curva, os carros freando quando veem a placa oficial. Para minha surpresa, há uma sirene dentro do carro, que ele coloca no teto. Meus dedos estão crispados nos braços de Hilal.

– Você está me machucando!

Afrouxo a pressão, estou rezando, pedindo a Deus que me ajude, que eu chegue a tempo, que tudo esteja onde deve estar.

Hilal está conversando comigo, pedindo que me acalme, que não devia ter agido como agiu, que no quarto não estava pensando em se matar, tudo era apenas encenação. Quem ama não destrói nem se deixa destruir, ela jamais me faria passar uma nova encarnação sofrendo e me culpando pelo que aconteceu – uma vez apenas era suficiente e isso já tinha ocorrido. Gostaria de poder responder, mas não estou acompanhando direito o que diz.

Dez minutos depois o carro freia na porta do terminal.

Abro a porta, arranco Hilal do carro e entro na estação. Na hora de passar pelo controle, somos barrados. Eu quero ir adiante de qualquer jeito, mas dois imensos guardas aparecem. Hilal me deixa sozinho e, pela primeira vez naquela viagem inteira, me sinto perdido, sem saber exatamente como seguir em frente. Preciso dela ao meu lado. Sem ela, nada, absolutamente nada, será possível. Sento-me no chão. Os homens olham meu rosto e minhas roupas cobertas de sangue, aproximam-se, fazem um gesto com a mão ordenando que me levante e começam a me fazer perguntas. Tento dizer que não falo russo, mas eles vão ficando cada vez mais agressivos. Outras pessoas se aproximam para ver o que está acontecendo.

Hilal reaparece com o motorista. Sem levantar a voz, ele diz qualquer coisa aos dois guardas agressivos, que mudam a expressão e me cumprimentam, mas eu não tenho tempo a perder. Preciso seguir adiante. Eles empurram para os lados as pessoas que haviam se juntado em torno de nós. Meu caminho está livre, agarro-a pela mão, entramos na plataforma, corro até o final, tudo está escuro, mas sou capaz de reconhecer o último vagão.

Sim, ainda está ali!

Abraço Hilal enquanto tento recuperar o fôlego. Meu coração está disparado por causa do esforço físico e pela adrenalina que corre em meu sangue. Sinto uma tontura, comi pouco esta tarde, mas não posso desmaiar agora. A alma da Turquia irá me mostrar o que preciso. Hilal me acaricia como se fosse seu filho, pedindo que me acalme, ela está ao meu lado e nada de mal poderá me acontecer.

Respiro fundo, o coração vai aos poucos voltando ao normal.

– Venha, venha comigo.

A porta está aberta – ninguém ousaria invadir uma estação de trem na Rússia para roubar algo. Entramos no cubículo, eu a coloco contra a parede, como tinha feito há muito tempo, no início daquela viagem que não terminava nunca. Nossos rostos estão próximos um do outro, como se o passo seguinte fosse um beijo. Uma luz distante, talvez de uma única lâmpada em uma plataforma diferente, se reflete em seus olhos.

E, mesmo que estivéssemos na escuridão completa, eu e ela seríamos capazes de ver. Ali está o Aleph, o tempo muda de frequência, entramos no túnel escuro a uma velocidade imensa – ela já conhece a história, não ficará assustada.

– Vamos juntos, segure a minha mão e vamos juntos para o outro mundo, AGORA!

Aparecem os camelos e os desertos, as chuvas e os ventos, a fonte em uma aldeia dos Pirineus e a cachoeira no mosteiro de Piedra, as costas da Irlanda, um canto de rua que julgo ser em Londres, mulheres de motocicleta, um profeta diante da montanha sagrada, a catedral de Santiago de Compostela, prostitutas esperando seus frequentadores em Genebra, feiticeiras que dançam nuas em torno de uma fogueira, um homem prestes a descarregar seu revólver na esposa e no amante dela, as estepes de um país asiático onde uma mulher tece belos tapetes enquanto espera a volta de seu homem, loucos em hospícios, os mares com todos os seus peixes e o Universo com cada uma das estrelas. Os ruídos de crianças nascendo, velhos morrendo, carros freando, mulheres que cantam, homens que praguejam e portas, portas e mais portas.

Vou para todas as vidas que vivi, viverei e estou vivendo. Sou um homem em um trem com uma mulher, um escritor que viveu na França no final do século XIX, sou os muitos que fui e serei. Passamos pela porta por onde quero entrar. Eu estava agarrado a sua mão, que agora desaparece.

À minha volta, uma multidão cheirando a cerveja e vinho dá gargalhadas, insulta, grita.

As vozes femininas me chamam. Estou envergonhado, não quero vê-las, mas elas insistem. As pessoas ao meu lado me cumprimentam: então eu era o responsável por aquilo! Salvar a cidade da heresia e do pecado! As vozes continuam chamando meu nome.

E já fui covarde bastante para aquele dia e para o resto da minha vida. Lentamente levanto a cabeça.

A carroça puxada pelos bois está quase terminando de passar, mais um segundo e eu não escutaria nada. Mas eu as estou olhando. Apesar de todas as humilhações por que passaram, parecem serenas, como se tivessem amadurecido, crescido, casado, tido filhos e se encaminhassem com naturalidade para a morte, destino de todos os seres humanos. Lutaram enquanto podiam, mas em algum momento entenderam que esse era o seu destino, já estava escrito antes de nascerem. Apenas duas coisas podem revelar os grandes segredos da vida: o sofrimento e o amor. Elas já passaram por ambos.

E é isso que vejo em seus olhos: amor. Brincamos juntos, sonhamos com nobres e princesas, traçamos planos para o futuro como fazem todas as crianças. A vida se encarregou de nos separar. Eu escolhi servir a Deus, elas continuaram um caminho diferente.

Tenho 19 anos. Sou um pouco mais velho do que as meninas que agora me olham agradecidas porque eu levantei a cabeça. Mas na verdade minha alma carrega um peso muito maior, das contradições e das culpas, de jamais ter coragem de dizer "não" em nome de uma obediência absurda, que quero acreditar ser verdadeira e lógica.

Elas me olham, e aquele segundo demora uma eternidade. Uma delas torna a chamar meu nome. Eu murmuro com os lábios, de modo que só elas entendam:

– Perdão.

– Não precisa – uma delas me responde. – Sim, conversamos com os espíritos. Eles nos revelaram o que ia acontecer, o tempo do medo passou, resta agora apenas o tempo da esperança. Somos culpadas? Um dia o mundo julgará, e a vergonha não recairá sobre nossas cabeças.

"Voltaremos a nos encontrar no futuro, quando toda a sua vida e todo o seu trabalho serão dedicados aos que hoje são incompreendidos. Sua voz será alta, muitos escutarão."

A carroça está se afastando, e eu começo a correr ao seu lado, apesar dos empurrões dos guardas.

– O amor vencerá o ódio – continua outra, falando calmamente, como se estivéssemos ainda nas florestas e bosques de nossa infância. – Os que são queimados hoje serão exaltados quando chegar esse tempo. Magos e alquimistas voltarão, a Deusa será aceita, as feiticeiras celebradas. Tudo isso pela grandeza de Deus. Esta é a bênção que colocamos agora sobre sua cabeça, até o fim dos tempos.

Um guarda me dá um soco no ventre, dobro-me para a frente sem fôlego, mas torno a levantar a cabeça. A carroça se afasta, já não conseguirei chegar mais perto.

Empurro Hilal para o lado. Estamos de novo no trem.

– Não vi direito – diz ela. – Parecia uma grande multidão gritando, e um homem de capuz estava ali. Acho que era você, não tenho certeza.

– Não se preocupe.

– Teve a resposta que precisava?

Gostaria de dizer: "Sim, finalmente entendi meu destino", mas minha voz está embargada.

– Não vai me deixar aqui sozinha nesta cidade, não é verdade?

Eu a abraço.

– De jeito nenhum.

MOSCOU, 1º DE JUNHO DE 2006

Naquela noite, quando retornamos ao hotel, Yao a esperava com a passagem para Moscou. Voltamos no mesmo avião, em classes diferentes. Meus editores não podem me acompanhar até onde terei a audiência com o presidente Vladimir Putin, mas um amigo jornalista está credenciado para isso.

Quando o avião pousa, ela e eu descemos por portas diferentes. Sou conduzido até uma sala especial, onde dois homens e o meu amigo me esperam. Peço para ir até o terminal onde estão desembarcando os outros passageiros, preciso me despedir de uma amiga e de meus editores. Um dos homens explica que não vai dar tempo, mas meu amigo responde que são duas horas da tarde, o encontro está marcado para as cinco, e mesmo que o presidente esteja me esperando em uma casa fora de Moscou, onde costuma despachar nessa época do ano, em menos de 50 minutos estaremos lá.

– Caso contrário, vocês têm sirene em seus carros... – diz em tom de brincadeira.

Andamos até o outro terminal. No caminho, passo pela florista e compro uma dúzia de rosas. Chegamos diante do portão de desembarque, repleto de pessoas esperando outras que vêm de longe.

– Quem de vocês aqui compreende inglês? – falo em voz altíssima.

As pessoas olham assustadas. Estou acompanhado por três homens bastante fortes.

– Quem de vocês aqui fala inglês?

Algumas mãos se levantam. Eu mostro o buquê de rosas.

– Daqui a pouco irá chegar uma menina que amo muito. Preciso de 11 voluntários para me ajudar a entregar essas flores. Imediatamente os 11 voluntários aparecem ao meu lado. Organizamos uma fila. Hilal sai pela porta principal, me vê, abre imediatamente um sorriso e se encaminha em minha direção. Uma a uma, as pessoas vão lhe entregando as rosas. Ela parece confusa e alegre ao mesmo tempo. Quando chega diante de mim, entrego-lhe a décima segunda flor e a abraço com todo o carinho do mundo.

– Não vai dizer que me ama? – pergunta, tentando manter o controle da situação.

– Sim. Eu te amo como um rio. Adeus.

– Adeus? – Ela dá uma risada. – Você não ficará livre de mim tão cedo.

Os dois homens que esperam para me conduzir até o presidente comentam algo em russo. Meu amigo ri. Eu pergunto o que conversam, mas é a própria Hilal quem traduz:

– Disseram que jamais viram uma cena tão romântica neste aeroporto.

Dia de São Jorge, 2010

NOTA DO AUTOR

Voltei a me encontrar com Hilal ainda em setembro de 2006, quando a convidei para participar de um encontro no Mosteiro de Melk, na Áustria. Dali viajamos para Barcelona, em seguida para Pamplona e Burgos. Em uma dessas cidades, ela me informou que tinha abandonado a escola de música e não pretendia mais se dedicar ao violino. Tentei argumentar a respeito, mas no meu íntimo entendia que ela também voltara a ser a rainha do seu reino, e agora precisava governá-lo.

Durante o processo de escrita deste livro, Hilal me enviou dois e-mails dizendo que havia sonhado que eu contava a nossa história. Eu pedi que tivesse paciência, e só realmente comuniquei o fato quando terminei de escrevê-lo. Ela não demonstrou muita surpresa.

Eu me pergunto se realmente estava certo ao pensar que, uma vez perdida a oportunidade com Hilal, teria ainda outras três (afinal, eram oito moças que estavam para ser executadas aquele dia e eu já me encontrara com cinco delas). Minha tendência hoje é dizer que jamais conheceria a resposta: das oito condenadas, a menina em questão, cujo nome nunca soube, era a única que realmente me amava.

Embora não estejamos mais trabalhando juntos, agradeço a

Lena, Yuri Smirnov e à Sofia Editora pela experiência única de atravessar a Rússia de trem.

A oração usada por Hilal para me perdoar em Novosibirsk também já foi canalizada por outras pessoas. Quando comento no livro que já a ouvira no Brasil, estou me referindo ao espírito de André Luiz, um menino.

Finalmente, gostaria de alertar para o exercício do anel de luz. Como menciono antes, qualquer volta ao passado sem o mínimo de conhecimento do processo pode trazer consequências dramáticas e desastrosas.

INFORMAÇÕES SOBRE
OS PRÓXIMOS LANÇAMENTOS

Para receber informações sobre os lançamentos da
EDITORA SEXTANTE, basta enviar um e-mail
para atendimento@esextante.com.br
ou cadastrar-se diretamente no site
www.sextante.com.br

Para saber mais sobre nossos títulos e autores,
e enviar seus comentários sobre
este livro, visite o nosso site:
www.sextante.com.br

EDITORA SEXTANTE
Rua Voluntários da Pátria, 45 / 1.404 – Botafogo
Rio de Janeiro – RJ – 22270-000 – Brasil
Telefone: (21) 2538-4100 – Fax: (21) 2286-9244
E-mail: atendimento@esextante.com.br

PÓLEN É O PAPEL DO LIVRO.
PORQUE REFLETE MENOS LUZ E DEIXA A LEITURA MUITO MAIS CONFORTÁVEL.
QUANTO MAIS CONFORTÁVEL A LEITURA, MAIS PÁGINAS VOCÊ CONSEGUE LER.
LENDO MAIS PÁGINAS, MAIS RÁPIDO ACABA O LIVRO.
ACABANDO O LIVRO, MAIS TEMPO PARA LER OUTROS.
MAIS TEMPO PARA LER OUTROS, CADA VEZ VOCÊ LÊ MAIS.
LENDO MAIS, ACUMULA MAIS CONHECIMENTOS.
MAIS CONHECIMENTOS, MELHOR PARA TODO MUNDO.
PÓLEN. VOCÊ PODE LER MAIS.

ESTE LIVRO FOI IMPRESSO EM PAPEL SUZANO PÓLEN SOFT ® 80 G
CERTIFICADO PELO FSC.